M.L. Estefanía

EL SHERIFF DE ALAMO NEGRO

DIRECTORIO
COLECCIÓN MARCIAL LAFUENTE ESTEFANIA
ISBN: 1405-4469
IMPRESO EN MÉXICO

©. Derechos Cedidos en Exclusiva a:
PEDRO JUAN RAMON LÓPEZ LÓPEZ
©. Derechos Exclusivos de Venta y Distribución
GRUPO EDITOR E IMPRESOR, S.A. DE C.V.

Editorial responsable: GRUPO EDITOR E IMPRESOR, S.A DE C.V.
Editor responsable: PEDRO JUAN RAMON LÓPEZ LÓPEZ

Publicación periódica editada por:
GRUPO EDITOR E IMPRESOR, S.A. DE C.V.
Calle E No. 52,
Col. Modelo, Fracc. Alce Blanco,
C.P. 53330
Naucalpan Edo. de México.

Marcial Lafuente Estefanía
No. De Reserva al uso Exclusivo del Título ante Derechos de Autor:
04-1996-000000000613-102 del 01 de Diciembre de 1986
No. De Reserva al uso Exclusivo de Características
Gráficas ante Derechos de Autor:
0024/94 del 04 de Mayo de 1994
Certificado de Licitud de Título 2989
Certificado de Licitud de Contenido: 8323
Expedidos por la Comisión Calificadora de Publicaciones
Y Revistas Ilustradas de la Secretaria de Gobernación

Prohibida la reproducción parcial o total de su Contenido,
Título y/o Características Gráficas.

United Status Registration No. 1972578
Trademark COLECCIÓN MARCIAL LAFUENTE ESTEFANIA

Publicación quincenal

Impreso por: Drokerz Impresiones de México, S.A. de C.V.
Venado No. 104 Int: 1 Col. Los Olivos
Delg. Tláhuac, C.P. 13210 México, D.F.

FECHA DE IMPRESIÓN: DICIEMBRE DEL 2013.
PRINTED IN MEXICO

A MODO DE PROLEGOMENO

CASI en las inmediaciones del Río Grande del Norte, en una parte en que sus aguas sirven de frontera entre México y los Estados Unidos, a mitad del camino entre El Paso y Sierra Blanca se encuentra Alamo Negro.

Como casi todos esos pueblos del último cuarto del pasado siglo, enclavados en el oeste, sudoeste y oeste central de la Unión, Alamo Negro tenía las características generales de las turbulentas ciudades y villas de la época. Más aún, por ser un pueblo fronterizo, sus calles veíanse cruzadas por los indeseables mexicanos que se ponían fuera del alcance de los rurales, que en México tenían gran interés en ponerles las manos encima.

El sheriff de Alamo Negro, un hombre de unos cincuenta años, con cabellos en los que predominaban las canas, pero fuerte de espíritu y de cuerpo, abrió las dos medias hojas de la puerta que daba acceso a «El Vaquero Alegre».

Nick O'Neil, lanzó una ojeada por encima de los asistentes al local. Divisó a un hombre apoyado en la barra del mostrador, y se dirigió a él.

—¡Hola, Strutt! Te buscaba hacía rato.

—¡Hola, Nick! —le contestó, empleando su mismo saludo—. ¿Qué quieres?

—Martin Buck quiere verte antes de... —calló sin terminar la frase.

—Antes de ser colgado, ¿verdad?

El sheriff asintió con la cabeza.

—¡Por cien mil caballos salvajes! —exclamó Strutt—. Te juro que aún empuñaré mi revólver y no pararé de dar gusto al dedo hasta que saque a Martin de tu apestosa y asquerosa cárcel.

—También yo lamento que sean mis hombres precisamente los que acaben con él. Pero la ley es la ley, y te advierto que no dudaré en disparar contra mi mejor amigo si éste entorpece la marcha de la justicia.

—¡Justicia!... ¡Bah! ¡Justicia!... ¿Le llamas tú eso a lo que queréis hacer con Martin? Colgarlo porque ha dado muerte a la mayor alimaña de Alamo Negro. ¿Esa es la ley que tú defiendes y representas? ¡Bah! —repitió—. No me hagas reír.

—Rutherford fue asesinado a sangre fría. Martin fue juzgado y debe pagar su deuda con la sociedad... Pero no se trata ahora de eso. Buck quiere verte. ¿Vienes, pues, a mi «apestosa» cárcel?

—Vamos.

El sheriff alcanzó a su acompañante al salir del «saloon». Sin decir una palabra se adelantó unos pasos. Cruzó la polvorienta calle y por la acera opuesta continuó caminando hasta llegar a la plaza. Al fondo de la misma, haciendo ángulo, se veía una construcción de fuertes troncos de cedro en cuya puerta podía leerse:

«Sheriff de Alamo Negro.»

Nick O'Neil llamó y una voz preguntó desde dentro:

—¿Quién es?

—¡Soy Nick, Peter!

Sintióse descorrer un cerrojo y la gruesa puerta se abrió.

—Entra —invitó el sheriff a su acompañante.

Sin decir una palabra, Strutt entró en el despacho de la autoridad de Alamo Negro.

La habitación tenía, aparte de la que daba a la calle, dos puertas más.

Una iba a un pequeño cuarto que servía de dormitorio al sheriff o a su ayudante cuando tenía que quedarse alguno de ellos allí a pasar la noche.

La otra daba acceso a un estrecho pasillo en el que se veían tres puertas de fuertes barrotes, que servían de calabozos para los que caían en poder de la ley de Alamo Negro.

En aquella ocasión un solo calabozo se hallaba ocupado por un individuo acusado de asesinato.

El día antes había comparecido ante un tribunal y un jurado. Fue declarado culpable y por ello condenado «a ser colgado hasta que muriera», y en la mañana del próximo día sería cumplida la sentencia impuesta.

Martin Buck se llamaba el reo. Era un muchacho simpático y joven. No tendría más de veintiséis años. Su faz curtida denotaba a la persona habituada a vivir largo tiempo bajo el sol y el aire de los llanos y de las montañas.

Sin decir una palabra, Strutt le tendió una mano que fue estrechada por el prisionero.

—Gracias por haber venido, Clinton. Tenía que hablarte antes de... —calló, y después de una pausa continuó—. Antes de mañana.

Clinton Strutt, a pesar de ser un hombre de más de cincuenta años, avezado a las tragedias que se desarrollaban en el Oeste, no pudo contener su emoción.

—¡Maldita sea! —exclamó, al tiempo que dirigía su mano al costado—. Esto no sucederá, porque...

No continuó. Sintió la presión de un revólver sobre su espalda, y oyó la voz del sheriff que le conminaba:

—No hagas el tonto, Strutt. También yo lo siento, pero te repito que la ley es la ley. No me temblará el dedo si tengo que meterte una bala en el cuerpo.

Con la mano que le quedaba libre, Nick O'Neil desarmó al visitante del condenado. Luego le espetó al condenado:

—Oye, Martin, te he traido a Strutt porque querías hablar

con él. No he debido abrir la reja y tendríais que hacerlo a través de ella; sé que no intentarás nada contra mí y por eso lo he hecho... Mas no quiero arriesgarme por segunda vez... Lo siento, Martin, pero Strutt debe salir y hablar contigo a través de los barrotes.

Martin Buck no le contestó. Sólo empujó hacia afuera a su amigo, al par que le decía:

—No seas terco, Clinton. Tengo que hablar contigo y con tu actitud sólo conseguirás que no pueda hacerlo... Anda, sal. Al fin y al cabo lo mismo podremos hacerlo a través de los barrotes.

Clinton Strutt obedeció a regañadientes. Salió de la celda. El sheriff lo hizo tras él y volvió a cerrar la verja.

—Tienes media hora —le dijo—. Os dejo que habléis solos.

Y al decir esto se apartó de los dos amigos, saliendo del pasillo a su despacho.

—¿Qué sabes de Mentó? Dime, Clinton. ¿Pasó el río?

—Sí, Martin, Mento está con tu hermano en Calamita. Allí estaba esta mañana cuando vine para acá... No te preocupes por eso. Ahora lo principal eres tú.

Calló y echó una mirada hacia donde se hallaba el sheriff. Bajando la voz, continuó:

—Bill, José, Anselmo y yo, estamos en el pueblo para sacarte de aquí.. Esperamos a la madrugada para ello.

—Bien, Strutt, yo sabía que no me abandonarías en la estacada. Sin embargo, no olvides una cosa: No le toques un pelo al viejo O'Neil, ni a sus ayudantes. Al fin y al cabo cumplen con su deber. A pesar de todo, Nick es mi amigo.

Aún siguieron hablando un buen rato. Pasó la media hora que el sheriff había concedido. Este se levantó de donde se hallaba sentado y se acercó a la celda.

—Lo siento, Martin. Strutt debe marcharse.

Los dos amigos quedaron en silencio. Clinton introdujo sus brazos a través de los barrotes de la puerta y estrechó al muchacho.

Este hizo lo mismo, y sin una palabra, en un silencio más elocuente que lo que pudieran haberse dicho en una larga conversación, permanecieron abrazados algún tiempo.

Luego, Clinton se separó y con voz ronca, dijo:

—Adiós, Martin, no pierdas las esperanzas.

Ya en el despacho del sheriff, éste encaró a Strutt con acento grave:

—Oye, Clinton. Porque te conozco te hago una advertencia. Nada ni nadie impedirá que la ley se cumpla.

Calló en una pequeña pausa y continuó con un gesto amistoso:

—Quién sabe... Es muy posible que el gobernador le haya indultado y en estos momentos esté al llegar la orden de suspender la ejecución. No olvides que yo soy uno de los primeros en desear que así sea... Rutherford era un mal hombre y merecía la muerte; pero... aún no comprendo cómo Martin no le dio una oportunidad de defenderse.

Clinton Strutt contestó con un gruñido.

—Bien; si has terminado, devuélveme mi revólver.

Nick volvió a su mesa y lo recogió. Se lo tendió a su interlocutor sujetándolo por el cañón.

—Toma... y no te hagas ilusiones, porque le saqué los proyectiles.

Cuando Clinton salió, el sheriff cerró la puerta, asegurándola con la cadena, y volvió a la celda del condenado:

—Oye, Martin. Sabes que siempre creí en ti. Pero... ¡Por todos los demonios! ¿Por qué no quisiste hablar?

—John Rutherford era un canalla, Nick.

—Lo sé, Buck, lo sé. Pero... ¿por qué lo asesinaste a sangre fría?

Martin Buck dio un paseo por la celda sin contestar de momento a la pregunta del sheriff.

Parecía que ordenaba sus recuerdos, y una amarga sonrisa hizo que sus labios se plegaran en una mueca. Volvió otra vez a la reja.

—Oye, Nick. No quiero que ocurra lo de..., lo que fatalmente tiene que pasar mañana, en lo que yo seré el principal protagonista, y que quede de mí un recuerdo de asesino... No, amigo; nunca fui un asesino. Lo de Rutherford...

Calló, y sacando la mano por entre los hierros agarró al sheriff por el chaleco.

—Voy a decirte —le dijo bajando la voz— lo que pasó. Voy a confiar en ti. Pero te juro, Nick, que si cuentas a alguien lo que oirás de mí, volveré de donde esté, abandonaré la tumba si fuera preciso, y mi venganza sería horrible. Quieres saber..., pues bien, sabrás lo que pasó. Te lo contaré todo... ¿Me juras por lo más sagrado, por la memoria de Magda, tu mujer, que nunca saldrá de ti lo que te cuente?

—Te lo prometo, Martín. No diré nada..., espera.

El sheriff fue a su mesa. De un rincón de ella sacó una botella de whisky.

Llenó un vaso no muy grande y volvió hasta los barrotes que cruzaban la puerta de la celda.

—Toma, bebe —le ofreció, al par que introducía el vaso por un hueco de los hierros.

CAPITULO · 1

POR la mal llamada carretera que une Sierra Blanca con Alamo Negro, una desvencijada diligencia avanzaba dando tumbos entre crujidos de hierros, chirriar de ruedas y el sonar de los cascos de los solípedos que arrastraban el pesado armatoste.

Tres hombres y una mujer ocupaban los asientos.

—Ya queda poco —decía uno de ellos, el de más edad.

—Sí —afirmó un joven de unos veinticinco años aproximadamente—; tras el próximo recodo ya se verá Alamo Negro.

—Ya estoy deseando llegar —dijo el tercero de los viajeros masculinos—. Puedo viajar y hasta dormir sobre la silla de mi caballo, pero tantas horas dentro de este cajón es algo que no resistiría dos veces seguidas.

—Yo también deseo llegar pronto. Hace ya tres años que salí de Alamo Negro. ¡Cuántas cosas han pasado desde entonces!... Dígame: ¿continúa aún de sheriff Nick O'Neil?

—Sí, muchacho. El viejo Nick continúa con su manía de imponer el orden en el pueblo.

—Y a veces lo consigue —intervino en la conversación el otro.

—Es cierto, y, ¡palabra!, que más de una vez me pregunto cómo consigue hacerse obedecer de toda esa mala ralea que infesta el pueblo.

11

La joven que iba con ellos apartó su vista del paisaje que se veía por la ventanilla, y clavó unos dulces ojos negros en el joven.

—¿Muy cansada? —sonrió el joven.

—Sí, bastante. Pero según dicen, ya afortunadamente falta poco.

—Así es: muy poco —respondió el joven.

Sólo esas palabras fueron cruzadas en aquellos momentos. Luego callaron, y cada cual se ensimismó en sus pensamientos.

Martin Buck, cerró los ojos y apoyó su cabeza sobre el duro respaldo del asiento.

Por su mente pasaron en un desfile retrospectivo aquellos tres años que hacía partió de Alamo Negro a uña de su caballo.

Martin pertenecía a una vieja familia de rancheros.

En los alrededores del pueblo, a unas cinco millas cortas, Joe Buck, su padre, había tenido un rancho, cuyos pastos siempre se vieron cubiertos de ganado.

Joe Buck tenía dos hijos. El mayor se llamaba Arnold y el otro Martin.

Colindante al «Esmeralda», existía otro rancho: «El Barra P.». Este rancho era propiedad de John Prescott; pero lo que el joven en aquel momento rememoraba no era a éste precisamente.

Veía a Elizabeth, su hija, con la que desde pequeño tenía una gran amistad y camaradería. Más aún, porque aquello fue transformándose en amor entre ambos.

Martin sólo tenía, aparte de su padre, dos grandes amores: Elizabeth y su hermano Arnold.

Este le cuidó de pequeño, eran dos camaradas que compartían sus juegos y sus infantiles preocupaciones.

Hacía tres años que dejó de verlos. Un día, en el «saloon» de Alamo Negro, tuvo una violenta pelea con un forastero que había llegado aquella tarde al pueblo.

Recordaba que estaba algo bebido. Lo que nunca pudo saber es lo que ocurrió concretamente.

Sin embargo, sabía que «sacó», y después del disparo, un

feo agujero, por el que empezaba a salir la sangre a borbotones, apareció en la frente del forastero.

Tres años hacía que se internó en México. Desde entonces no volvió por Alamo Negro.

Recibió noticias directas de su padre y hermano. Ambos le pedían que volviera al rancho «Esmeralda».

La muerte de aquel forastero no era causa para que se alejara de ellos; al contrario, porque no bien Martin salió del «saloon», el muerto fue reconocido como un famoso pistolero, cuya cabeza estaba tasada en un puñado de dólares.

Sin embargo, Martin no volvió. Ni el amor de Elizabeth fue suficiente para arrastrarse a su lado. El espíritu de Martin Buck era el mismo de los viejos exploradores y llaneros que llenaron páginas de libros. La aventura le atraía.

En México vivió unos meses. Desde allí regresó a los Estados Unidos. Pero no a Alamo Negro.

Deambuló por los campamentos mineros de California. Vagó por las grandes llanuras.

Su nombre poco a poco fue haciéndose conocido, y de aventura en aventura, rodando por garitos y pueblos incipientes del «Far West», llegó a convertirse en un temible pistolero.

Sin embargo, Martin no era un bandido ni mucho menos. Era uno de tantos hombres que el Oeste daba como fruto característico.

Fue hallándose en San Antonio, cuando recibió la noticia que le hizo regresar a Alamo Negro. Encontró a un vaquero que había pertenecido al rancho «Esmeralda». Incidentalmente, a través de la conversación, le dio la noticia:

—Sí, Martin —le dijo—; desde que murió tu padre aquello no marcha bien.

Sintió como un mazazo moral que le dejó abatido.

—¿Desde... que murió mi padre?

—Sí. No sé qué le ocurre a tu hermano, que...

—Escucha —le interrumpió, con un nudo en la garganta que casi no le dejaba hablar—: yo no sabía nada... Te agradezco que seas tú, un viejo amigo, quien me lo haya dicho... ¡Pobre padre mío!...

Aquel mismo día escribió a su hermano, y cuando tuvo la

contestación que le confirmaba lo que aún no llegaba a comprender del todo, Martin emprendió el regreso al pueblo que un día le viera salir fugitivo.

Ya no le quedaba nadie más en el mundo que su hermano y Elizabeth. Por eso decidió regresar.

Al fin, la diligencia entró en la plaza, que era donde estaba la casa de postas, y se detuvo ante ella.

La muchacha que viajaba con aquellos tres hombres quedó retraída sin decidirse a bajar.

—¿La esperan?

—Sí, me esperan. Yo vengo a trabajar en..., en el «saloon» de Alamo Negro.

—¡Ah!...

Martin dijo ese «¡Ah!...» con una entonación de incredulidad quizá, que la chica captó.

—¿Le extraña? ¿Por qué? —hizo un encogimiento de hombros que quiso decir muchas cosas. Luego siguió—: Cada cual tiene su destino..., y el mío creo que es ése.

—Sí, es posible... Bueno —se despidió al darse cuenta que desde la puerta de la diligencia los miraban un grupo de vaqueros con curiosidad—; yo me llamo Martin Buck... Si algún día puedo serle útil, recurra a mí. Ahora, adiós, señorita...

—Mento... Mento Bustamante —dijo la joven, al darse cuenta de la interrupción de su interlocutor.

—Bien, señorita Mento, adiós.

Y el muchacho, sin una palabra más, salió del vehículo.

Nick O'Neil, el sheriff, exclamó al ver al muchacho:

—¡Vaya!... ¡Pero si es Martin Buck! ¿Qué viento nos trae por aquí al hijo pródigo?

—¡Hola, viejo policía! Otra vez estoy aquí. Espero que no te molestará.

—No, claro que no... Es decir, si te comportas bien.

—El recibimiento no es muy cordial, que digamos. Parece que te diriges a un indeseable, al que amonestas y le metes miedo con tu ley...

Martin calló. Mientras que él hablaba con el sheriff, Mento Bustamante había descendido de la diligencia.

Sam Taylor, un vaquero de un rancho próximo, se acercó a ella.

—¿Busca a alguien, preciosidad? —le preguntó con una insultante mirada.

La chica no contestó.

—¡Vaya por Dios! ¿Es muda, por casualidad?

—Déjeme en paz, ¿quiere?

Erick Zeeman, propietario de «El Vaquero Alegre», se acercó al grupo. Llegó apresuradamente.

—Perdone —dijo—. ¿Es usted Mento Bustamante?

—Sí; y usted míster Zeeman. ¿Me equivoco?

—No..., pero no me di cuenta de la llegada de la diligencia... Por eso le he hecho esperar. Perdone —repitió—. ¿Es esta su valija?

—Sí.

Zeeman la recogió.

—Bien. Vamos entonces.

Sam Taylor tocó en el hombro al dueño del «saloon»:

—Oye, Erick: ¿esta muchacha viene a trabajar a tu casa?

—Sí... Pero no como las otras, ¿sabes? viene contratada para cantar. Es una gran cantante mexicana.

El vaquero soltó una estruendosa carcajada, que fue lo que hizo que Martin quedara sin terminar lo que hablaba con el sheriff.

—¡Vaya, preciosa! ¡Sí que eres remilgada! —dijo Sam Taylor.

Se acercó a Mento y la cogió la barbilla.

La muchacha dio un fuerte manotazo a la mano de vaquero.

—¡No me toque! —exclamó—. El que yo trabaje en un «saloon» no le da derecho a molestarme.

—Claro, encanto: pero al fin y al cabo, lo mismo da que te toque ahora la barbilla, que esperar a la noche a... que estés en el «saloon». ¿No te parece?

Mento Bustamante no dijo nada. Sólo a Erick Zeeman le indicó, al par que una lágrima se escapaba de sus grandes ojos negros:

—Vamos. Cuando usted quiera.

—No; espere... —dijo una voz fuerte, que hizo mirar a todos hacia el que había dicho estas dos palabras.

Mento reconoció en ella la de Martin Buck, y volviendo su rostro hacia él le miró interrogativamente, al par que sonreía amistosamente.

—¿Es a mí?

—Sí, señorita. No quiero que su primera impresión de este pueblo sea tan desagradable. Cuando hace tres años yo partí de aquí, había bandidos, tahures, cuatreros y hasta algún asesino que campaba por sus respetos por los garitos de Alamo Negro..., pero lo que nunca hubo fue ningún canalla asqueroso que insultara a una mujer ante un público, sin que éste no le rompiera las narices y le abofeteara su cara... ¿Es ésa tu ley, Nick?

—¡Por los cuernos del diablo! —exclamó el sheriff—. Te has adelantado, porque ya me daba hasta fatiga oír hablar a ese fantasmón... ¡Y a fe de Nick O'Neill, que se va a acordar de mí!

—Has llegado tarde, amigo.

Calló y miró fijamente al vaquero que insultara a la joven.

—Bien... No recuerdo su cara, ni creo que sea de Alamo Negro. Pero eso es lo de menos. ¡Vamos, pronto! ¡Pida perdón a esta señorita!

—Oiga —le respondió Taylor—. ¿Quiere decirme qué ocurrirá si no hago lo que tan amablemente pide?

—¿De verdad quiere que se lo diga?

—Claro... No creo que tenga usted un cementerio particular, ¿verdad? Ande, dígame qué hará.

—¡Esto!

Al decir esta palabra, Martin Buck que se había ido aproximando poco a poco a Sam Taylor, le atizó un puñetazo tan formidable en el mentón que le hizo salir rodando por el suelo casi sin darse cuenta de nada.

La chica se alejó en dirección a «El Vaquero Alegre», y Martin Buck lo hizo con el sheriff, al par que se le oía decir:

—¡Bien, Nick! Ya estoy otra vez aquí, y por poco que mi llegada no es igual a la salida que tuve hace tres años.

CAPITULO · 2

DEBE pensarlo, Arnold. Yo le pago el rancho mejor de lo que podía usted soñar.

—Sí, Rutherford; su oferta es tentadora, pero ni puedo ni quiero vender. Además, tenga en cuenta que al morir mi padre dejó el rancho «Esmeralda» no sólo para mí, sino para mi hermano Martin también.

—¿Quiere decir que lo lleváis a medias?

—Lo llevo yo, porque Martin hace tres años que partió de Alamo Negro, pero los beneficios que tenga el «Esmeralda» serán compartidos con él... Estas tierras y esta casa son tan de él como mías.

—¿Y si fuera de usted solo?...¿Vendería?

—No, tampoco. Aun faltando mi hermano, sabe usted que tengo una responsabilidad muy seria. Estoy casado y soy padre de un pequeño. Esto que quiere comprar con tanto interés representa la tranquilidad del futuro para ellos.

—Escuche, Arnold. Necesito este rancho o el de John Prescott. Ya sabe que pocas cosas me fueron necesarias que yo no consiguiera. ¿Por qué es usted tan testarudo que no llega a un arreglo conmigo? ¿No le pago más de lo que vale?

—Es curioso el interés que tiene por mis tierras... ¿Puede decirme por qué?

—Aún no, Arnold, pero pronto se lo diré... Primero debo cerciorarme de algo muy interesante, y créame que cuando esto ocurra tendré muchas más posibilidades de que me venda usted. En cuanto a lo que dice de su hermano, no creo que él se opusiera... Hace ya tiempo que marchó, y quién sabe si ha terminado como todos los pistoleros: con las botas puestas.

—Oiga usted —le respondió Arnold Buck, levantándose de la silla en donde estaba sentado—. Si vuelve a hablar en esos términos de mi hermano Martin, creo que tardará muy pocos segundos en salir del rancho «Esmeralda».

—¿Me echa usted? —preguntó Rutherford, enarcando las cejas.

—No; le aviso. Y además, le advierto que mi hermano le dirá lo mismo que yo cuando llegue. Ya me anunció que salía de San Antonio.

—Bien; siendo así, trataré de convencer a su hermano.

—Rutherford: mi hermano no puede vender el rancho. ¿No le he dicho que es de los dos?

—No; efectivamente, no puede vender el rancho, pero... puede vender su parte. ¿No cree que si él quiere puede hacerlo?

Arnold Buck se acercó a su interlocutor.

—Ha intentado usted comprar «El Barra P.». Ahora el «Esmeralda». Que yo sepa, nunca se dedicó a la ganadería. Entonces, Rutherford, ¿por qué ese interés en tener un rancho cuyas tierras limiten con el río? Créame que hace usted que piense algo que no quisiera.

—¡Piense lo que quiera, Buck! Pero le advierto que yo también puedo pensar lo que se me ocurra... y comunicar mis pensamientos al gobernador del estado.

—¡Salga de mi casa!

—¿Se pone en contra mía? ¡Le pesará! ¡Créame que no soy enemigo pequeño! ¡Le juro que...

Una voz tranquila, pero con entonaciones amenazadoras no le dejó terminar:

—¡Le han dicho que salga de esta casa! ¿Es sordo, quizá?

Arnold y su interlocutor volvieron la cara hacia la ventana desde donde hablaba el que interrumpió al segundo.

Martin Buck, con su fisonomía simpática, pero con los ojos amenazadoramente clavados en Lewis Rutherford, se encontraba allí.

—¡Martin! —exclamó su hermano.

—¡Hola, Arnold! —saludó tranquilamente, como si hiciera pocas horas que no le veía—. Sé que no necesitas que te ayuden para espantar bichos venenosos, pero si Rutherford no sale de ahí antes que yo entre, créeme que celebraré el haber llegado en momento tan oportuno... y, ¡palabra, Arnold, que no podrá él decir lo mismo!

Lewis Rutherford no respondió. Se puso en pie y miró a sus interlocutores, uno después de otro. Luego se encaminó a la puerta.

Salió del rancho y subiendo a un «sulky» (1) fustigó al caballo, desapareciendo por el camino que le llevaba a Alamo Negro con rostro sombrío.

Rutherford llegó a Alamo Negro hacía algo más de veinte años. Fue cuando la guerra de Secesión terminó.

Venía del este, y sus primeras actividades por aquel pueblo fueron el establecerse en una pequeña habitación ejerciendo la abogacía.

Poco a poco, aquel picapleitos que se asentó en Alamo Negro, fue amasando un capital que según rumores estaba amasando con sangre y lágrimas.

Rutherford fue abriéndose camino y terminó estableciendo un banco en el pueblo, al cual dedicó sus actividades, dejando a un lado las leyes.

Cuando Lewis Rutherford salió del rancho «Esmeralda» y subió a su cochecillo emprendiendo la marcha, Martin Buck, con sus pulgares metidos en el cinturón, contempló cómo aquél se alejaba.

«Ni al cabo de tres años sin verlo he podido evitar la sensación de asco que me da siempre que se cruza ante mí», se dijo.

---

(1) «Sulky»; cochecito sin muelle, tirado por un caballo.

—¡Martin! —exclamó su hermano, que salía apresuradamente del rancho.

—¡Arnold! —le respondió éste, al par que se fundían en un estrecho abrazo.

Unos segundos se mantuvieron así.

—Arnold —siguió Martin—; nunca supe la desgracia de nuestro pobre padre... Sólo de una forma casual me enteré estando en San Antonio.

—Ya ves lo que es la vida, Martin. He tratado hace mucho tiempo de localizarte para decirte que vinieras a mi lado. Nadie sabía nada de ti..., y sin embargo, cuando menos lo esperaba, recibí tu carta desde San Antonio.

Hicieron una pausa. Desde donde estaban, a la entrada del edificio principal del rancho, veían a unos vaqueros que en el patio del mismo miraban con curiosidad al recién llegado. Arnold Buck, siguió:

—Un poco antes de morir, cuando nuestro padre fue herido, me dijo...

—¿Cuando nuestro padre fue herido? —le interrumpió su hermano—. ¿Es que quizá le...?

Sin terminar la frase, clavó sus ojos en Arnold, interrogándole con la mirada.

—Sí, Martin; fue asesinado. Y antes de morir me encargó que te buscara y vinieras a mi lado. No pudo decir más, pero creo que quiso decir que juntos los dos, buscáramos a su asesino.

—¡Claro que lo buscaremos! Y te prometo Arnold, que se va a hablar durante mucho tiempo en Alamo Negro, cuando lo encontremos, de la venganza de los Buck.

—No tengo ni idea de por qué lo asesinaron —arguyó Arnold—, pero hace tiempo que ocurren cosas muy raras en los alrededores de Alamo Negro. Un año después de tu marcha perdió la vida John Prescott.

—¿El padre de Elizabeth?

—Sí, Martin.

—¿Cómo murió?

—De una forma muy rara. Prescott murió de un balazo cuando se encontraba en Alamo Negro. Sin saber cómo, se encontró en medio de una reyerta entre mexicanos, y una bala que no iba dirigida a él, terminó con su vida.

—¿También a nuestro padre le pasó lo mismo?

—No; nuestro padre, sin que quepa lugar a dudas, fue asesinado. Se dirigía a los pastos altos, cuando desde unas rocas le dispararon un tiro con un rifle. A duras penas pudo sostenerse en el caballo y llegar a donde nos encontrábamos, marcando unas ternerillas... Allí, en mis brazos, murió...

—Escucha, Arnold. Voy a cabalgar un poco; lo necesito. Cuando regrese, entonces hablaremos con más calma de todo esto... Puedo disponer de un caballo, ¿verdad?

—¡Claro, Martin! Lo que aquí hay es tan tuyo como mío —miró hacia los vaqueros y llamó—: ¡Anselmo!

El aludido se acercó a ellos.

—¿Diga patrón?

—Ensilla a «Saeta» y tráelo aquí.

—¡Hola, Anselmo! Veo que no has cambiado nada —dijo Martin.

—Sí... —y se cortó.

—Vamos, Anselmo, puedes seguir llamándome Martin, como antes —sonrió el joven.

—En verdad que no sabía cómo hacerlo. Ahorita mismo traigo a «Saeta».

—No, espera —le detuvo, y encarando a su hermano, añadió—: Iré yo. Quiero ensillar yo mismo a «Saeta».

—Pero ¿no quieres descansar? Después del largo viaje... Además, quiero que sepas que...

—No, Arnold. Ahora lo que mejor me sentará es sentir entre mis piernas la silla de montar. Ya tendremos tiempo de charlar, y de que me pongas al corriente de todo. Vamos, Anselmo.

Y dándole un amistoso golpe en la espalda a su hermano, Martin Buck se dirigió hacia un corral donde se veían varios caballos.

* * *

Cuando Arnold Buck contemplaba cómo se iba alejando su hermano, notó unos suaves pasos tras él y una melodiosa voz que le decía:

—Lo he visto desde arriba... Poco cambiado. ¿Se lo dijiste?

—No, Elizabeth. Primero no me atreví y luego, cuando quise decírselo, no me dejó terminar. Enseguida que vuelva es lo primero que debe saber.

—Es curioso, Arnold. Hubo un tiempo en que creí querer a Martin... Con su ausencia terminé por convencerme que mi afecto hacia él no era más que un cariño fraternal. Luego..., vino la muerte de papá. Quedé sola...; de esto hace ya algo más de dos años...

—Sí, Elizabeth; y algo más de uno que nos casamos.

—Es verdad. Antes de eso quise escribirle a Martin... Decirle que aquello nuestro era un espejismo que no podía seguir adelante. Pero... fue tan difícil saber dónde estaba... Sólo tuve unas líneas suyas al mes aproximadamente de partir. Después, nada.

—No debes preocuparte. Martin comprenderá lo ocurrido.

—No, si no me preocupo. Es... no sé; es algo así como si temiera que al enterarse pudiera pensar que le estuve engañando... Y bien sabe Dios, Arnold, que un día creí quererlo, pero cuando me di cuenta de tu amor callado y sereno, fue cuando vi la realidad de mi cariño. Para ti el de mujer, el de esposa. Para él..., para él no quedaba más que un gran afecto, pero un afecto que no pasaba de fraternal que dos buenos amigos puedan tenerse.

Arnold se acercó a su mujer. Le pasó el brazo por el hombro:

—Bien; ya verás cómo todo termina como esperamos. Martin, a pesar de ser algo..., bueno, algo impulsivo, sabrá comprender las cosas.

—Eso es indiscutible. Tiene un noble corazón, aun cuando se haya creado una fama poco halagüeña para él... Y a propósito, Arnold, ¿por qué se ha marchado sin entrar?

—Ha querido salir a recorrer el rancho. Dice que necesitaba despejarse, y que un paseo a caballo le ayudaría a ello. Siempre el mismo... Llegó en el momento que Rutherford decía algunas impertinencias y, de verdad, Elizabeth, que creí que lo arrojaría violentamente del rancho.

—Rutherford... Rutherford... —repitió lentamente la joven—; tengo el presentimiento que ese hombre nos será fatal.

—No tengas cuidado.

—Sí, Arnold. Cuando murió papá, insistió mucho en que yo le vendiera «El Barra P.». No quise hacerlo, y después que nos casamos ya ves la insistencia en adquirir éste o el «Esmeralda». ¿Por qué será? A veces pienso —dijo la muchacha, sonriendo— si habrá oro en nuestras tierras.

—¡Ca! ¡Los motivos deben ser otros! —calló, y en una transición siguió—: Anda, no te preocupes más de esto... No te olvides que Martin vivirá con nosotros.

—¿Qué quieres decir?

—Quiero decir que hagas preparar su habitación. ¿Pensaste en ello?

Arnold Buck besó a su mujer, y ésta se dirigió al interior del rancho, mientras su marido se encaminaba hacia el corral de los caballos.

CAPITULO · 3

MARTIN Buck frenó su cabalgadura en un alto desde el que se divisaba una gran extensión de terreno, y, un poco más al fondo, el sinuoso curso del Río Grande.

Cerca de donde se hallaban se veía un grupo de encinas, por entre las cuales subía zigzagueante una leve columnilla de humo.

Martin quedóse mirando ésta.

—Aquellas encinas pertenecen al rancho, ¿verdad?

—Sí, todo esto, hasta la orilla del río, es del «Esmeralda».

—Entonces, ese humo será producido por el fuego que algún vaquero nuestro haya hecho, ¿no?

—¡Pchs...! Es raro, porque el ganado está más al norte, pero... quién sabe. Pueden ser algunos de nuestros muchachos.

—Vamos a verlo —ordenó Martin, al par que tocaba su caballo y se encaminaba al grupo de árboles, seguido de Anselmo.

No bien se acercaron lo suficiente, oyeron hablar a dos individuos. Uno parecía mexicano. El otro tenía un marcado acento texano.

—Eres un chango rajao —decía uno—. Ha sido suficiente un grupo de malosos rurales para que te haga atravesar el río.

—Oye, José —le arguyó el otro—: ¿Y tú por qué estás aquí? ¿Quizá por pasearte?

—No. ¡Qué esperanza! Pero si yo «perjudiqué» a un maldito coyote hasta «difuntearlo», no lo niego... Era un gringo atravesao y merecía lo que se encontró... Y ¿sabes lo que pienso, manito?

—Pues no. Tú dirás.

—Pues pienso que estas tortillas de maíz están estupendas, y debemos comer ya.

A ese punto de la conversación llegaban, cuando Martin y Anselmo, que habían dejado los caballos un poco atrás, se acercaron hasta avistar a los dos intrusos.

—¡Buenas tardes! —saludó Buck, sonriendo—. Cada vez me convenzo más de que el mundo es muy pequeño. ¡José Larreta! Vaya, vaya. Y ¿se puede saber qué haces en mis tierras?

El mexicano y su acompañante se habían puesto en pie rápidamente. Sin embargo, aunque de momento no lo reconoció José Larreta, poco a poco, recordó a su interlocutor:

—¡«Mamasita»! Pero ¡si es Martin!

Luego, quedó un poco pensativo, y riendo preguntó:

—¿También has cruzado el río?

—No, cara de mono. Ya te he dicho que estás en mis tierras... Anda, dime qué hacéis por aquí.

—Este —comenzó el mexicano— es Bill Randall. Creo que ha tenido un «entrevero» al otro lado del Río Grande... Yo..., bueno, yo estoy aquí porque ya sabes que me gusta pasear por el mundo, correr tierras a lomos de mi caballo.

—Claro, y por eso... no traes caballo, ¿verdad?

—«Ta» bien, «mano», «ta» bien... Tú sabes que un caballo se compra en cualquier sitio...

—O se roba, ¿no?

—Eres un chango rajao. Yo no soy cuatrero. Y si otro que no fuera Martin Buck me hubiese dicho eso...

—Bueno, muchachos. No tomarlo a mal. Yo sé que José Larreta es un entremetido, que le gusta andar con los puños muy a la ligera... Pero también sé que no es ningún bandido.

25

Martin notó el agradable olorcillo de las tortillas de maíz.

—¡Hum...! Ya hacía tiempo que no las comía —dijo señalando a ellas.

—Andéle no más, manito. Acercarse a comer con nosotros. ¿Vale?

—Claro que vale, vamos, Anselmo —dijo a su acompañante—; estos comprometedores mexicanos sólo saben hacer tres cosas bien: la tequila, las tortillas de maíz... y el andar «perjudicando» a sus semejantes.

Un buen rato estuvieron los cuatro charlando y comiendo. José Larreta había sacado unos apestosos cigarros, ofreciéndolos a sus acompañantes.

Anselmo y Bill Randall aceptaron. No así Martin, que con papel, se dispuso a liar un cigarrillo de tabaco que llevaba en una bolsita.

—Gracias, José. Pero nunca pude con esos cigarros. ¡Huelen a demonios!

—¿Qué tienen mis «tagarninas»?

—Nada, hombre, pero...

Calló; se quedó mirando hacia el río, y observó un grupo de personas que a pie remontaban el barranquito por cuyo fondo se deslizaban las aguas.

Lanzó un leve silbido.

—¡Caramba! —dijo—. Esto parece la calle Mayor de Alamo Negro, en día de fiesta.

Siguieron observando y vieron cómo el grupo se componía de cinco vaqueros.

—Vamos, manito —expuso el mexicano, deteniendo a Martin—. Esos «endeviduos» pueden ser «malosos»... Yo soy amigo de mis amigos, aunque éstos sean, como tú, unos gringos atravesaos. ¿Quieres que te acompañe?

—Yo también estoy con usted, Martin —se ofreció Bill Randall.

—Gracias, muchachos. Vamos.

Dejaron los caballos entre las encinas y los cuatro se encaminaron al encuentro de los recién llegados.

Estos, al darse cuenta de que cuatro individuos se acercaban a ellos, quedaron parados. Se adelantó uno.

—Buenas tardes —saludó Martin.

—Muy buenas —contestó aquél—. ¿Son ustedes quizá del rancho «Esmeralda»?

—Sí; somos del rancho «Esmeralda», y éstas son sus tierras... ¿Y ustedes?

—Nosotros vamos al «Barra P.» y hemos entrado por aquí para adelantar terreno...

Una exclamación del mexicano Larreta le interrumpió:

—¡Andéle, pues! ¡Si son chamacos amarillos!

Martin, observó que, efectivamente, los cuatro que quedaron un poco atrasados eran de raza amarilla. Seguramente chinos.

Pero lo que le llamó la atención fue el que éstos fueran con ropas de cow-boy. No dijo nada, pero fijó sus ojos interrogativos en su interlocutor.

—Le extraña ver a estos chinos con ropas que no son habituales en ellos, ¿no?

—Sí, francamente; mas... si son esperados en el rancho de nuestros vecinos, allá ellos... Sus motivos tendrán.

—Eso es, amigo. Me gustan los hombres que no son entretenidos... Bueno, si no nos prohibe que crucemos por estas tierras, seguiremos nuestro camino.

—Por nuestra parte no hay inconveniente. Sigan adelante.

Los cuatro orientales y su acompañante siguieron en una dirección que los llevaría en algo menos de una hora al rancho que fue del difunto John Prescott.

Martin tiró el sombrero hacia atrás de la cabeza y se rascó ésta, al par que decía:

—¡Qué me ahorquen si sé para qué necesitan en el rancho de Elizabeth a estos cuatro chinos... Y ahora que pienso —dijo, recordando algo—, he de ir a visitarla —calló un momento; luego dijo—: Bueno, José. Tengo que hacer una visita. Quedaos esta noche por aquí, que mañana regresaré y os haré una proposición.

—¿De qué se trata?

—Ya os lo diré. Primero debo hablar con mi hermano.

—Bien. Aunque eres un «gringo pelao», me fuiste simpático

cuando nos conocimos, allá en el Paso del Norte. Aquí estaremos...

—Vamos, Anselmo. Quiero visitar a una muchacha que es el sol de estos campos. Vamos al «Barra P.».

—Oiga, patrón: ¿dice usted una muchacha en «El Barra P.»?

—¡Claro! Elizabeth Prescott. Continuará linda como siempre, ¿verdad?

Anselmo le miró perplejo.

—Bueno... Pero ¿es que no la ha visto en el rancho?

—¿A quién?

—A la patrona. A la hija de Prescott.

—¿A la patrona? No entiendo.

—Pero ¿es que no sabe que se casó con su hermano?

Martin se acercó más a Anselmo.

—Oye..., ¿qué broma es ésta?

—No es broma, patrón. Hace más de un año que la hija de Prescott se llama Elizabeth Buck.

Martin arrugó el entrecejo. Quedó pensativo unos segundos. Luego su cara fue serenándose.

Sus labios se distendieron en una sonrisa, y al fin rompió a reír. Sus acompañantes le miraban, sin atreverse a decir nada.

—¡Por vida de...! —exclamó Martin, entre carcajadas—. Esto que me pasa a mí no le ocurre a nadie... Oye, cara de mono —le dijo a Larreta—: ¿qué harías tú si al regresar de un viaje te encontraras con que tu novia se había casado con otro?

—«Che», pues me decís una cosa que no he pensado. Yo no tengo novia. Las mujeres siempre andan «cotorreando»... Pero, desde luego, si una «china» me hiciera eso, «difunteaba» al marido.

—No seas bestia, Larreta. ¿Y si el marido fuera tu mismo hermano?

—¡Qué te voy a decir! «Po» está bien claro lo que haría... «Difunteaba» a los dos.

Martin continuó riendo.

—¡Qué bruto es este «tragatequila»! ¡«Difuntearlos»!... No, hombre, no... Hasta cierto punto, cuando el primer novio es un «atravesao», como tú dices, y se marcha, abandonando a la muchacha, ¿qué otra cosa puede esperar? ¿Que la chica le espere años? No —repitió—; me alegro que haya sucedido así, porque Elizabeth y Arnold serán felices... Ahora... creo que estaré poco en Alamo Negro... Anda, Larreta: espérame aquí hasta mañana, que es muy posible que os dé caballos y nos marchemos los tres por el mundo... ¿Hace?

—Claro, «manito». Aunque no comprendo quién es ese Arnold, esa Elizabeth y todo ese lío de novios.

—Ni falta que hace. Vamos. Anselmo.

* * *

Cuando se apearon de los caballos ante su hermano Arnold, que se paseaba ante el rancho, ya el sol se había ocultado tras las primeras montañas.

—Te esperaba, Martin —dijo Arnold, no bien su hermano dejó el caballo en manos de Anselmo—. Antes no te dije algo que debes saber.

—No tienes que explicarme nada, Arnold. Me supongo lo que me vas a decir.

—No, Martin; no puedes nunca figurarte que...

Martin Buck cogió a su hermano por el brazo y lo llevó hasta la entrada del rancho; luego, con una sonrisa que llenó de confianza a su interlocutor, le dijo:

—Vamos, Arnold, no seas crío... Te deseo una gran felicidad junto con Elizabeth. ¿Era eso lo que querías decirme? Vamos —repitió—, no pongas esa cara de atontado.

Efectivamente, Arnold Buck se había quedado mirando a su hermano con una cara en la que se reflejaba el estupor.

—¡Lo sabías! —exclamó—. Y, sin embargo, no dijiste nada antes, cuando llegaste...

—No, antes no sabía nada. Pero es lo mismo. Deseo la felicidad de Elizabeth, y es a tu lado donde ha de hallarla... Todo sea por ella.

—Martin —balbució su hermano—, eres noble y tu corazón es grande.

—¡Bah!... Dejemos eso. Ahora, a saludar a mi cuñada. Después quiero hablar contigo.

Los dos hermanos entraron en el rancho.

—¡Por cien mil caballos salvajes! —exclamó un viejo vaquero que ante la cocina se hallaba rodeado de dos o tres más—. ¿Será posible que Martin Buck no se acuerde de Clinton Strutt y no venga por aquí a darme un abrazo?

—A un oso como tú no hay quien le dé un abrazo —repuso uno de los que le rodeaban.

—¡Oye, imbécil! Tan cierto como que soy el capataz de este equipo, que como se me ponga en la cabeza te voy a dar un puntapié tan grande que te vas a quedar sin poder sentarte en la silla del caballo durante un puñado de días... Y otra cosa; ahora mismo entro donde está el patrón, y ya verás cómo le canto las verdades a ese mocoso engreído, que ya no se acuerda de quien le puso el primer revólver en su mano, ni de quien le recogió del suelo cuando por primera vez lo tiró el caballo.

Y Clinton Strutt, el viejo capataz del equipo del «Esmeralda», se dirigió a la casa ranchera.

* * *

Al día siguiente, por la tarde, se hallaba Lewis Rutherford en un reservado de «El Vaquero Alegre».

Junto a él estaba Erick Zeeman, propietario del «saloon», y Sam Taylor, el vaquero que tuviera el altercado con Martin Buck el día que éste llegara al pueblo.

—Le digo que es peligroso —decía Taylor—. He hablado con «Snake» y me ha contado varias cosas de ese entremetido.

Zeeman intervino en el diálogo.

—Ya pude ver, el día que llegó, que es un individuo violento, ¿verdad, Sam?

—Sí... —contestó éste, acariciándose la barbilla—. Es un fulano muy... violento. Ahora que pienso tomarme la revancha y en un lugar que sea muy concurrido. Yo le haré ver a ese matón que sólo vale cuando se adelanta y coge desprevenido.

—Yo creo —opinó Zeeman— qué debíamos dejar este asunto por una temporada. La trata de blancas está siendo

30

muy perseguida, y si nos cogen nos pudriremos en alguna cárcel..., eso si no nos cuelgan antes.

—Ya no es hora de retroceder. Estamos metidos hasta la cintura en este negocio —dijo Rutherford.

—Ya lo sé. Pero si al menos tuviésemos el rancho de Arnold Buck, o el de su mujer, estaría más tranquilo.

—Eso es cierto, pero ese ranchero del diablo se niega a ello.

—¿Usted cree que lo conseguiremos? —preguntó Taylor.

—Desde luego, por nosotros no ha de quedar. Esos ranchos están fronterizos al río y son muy estratégicos.

—Claro —observó Zeeman—. De esa forma pasaríamos a las muchachas por los terrenos del «Esmeralda» y las dejaríamos en ese rancho hasta que las fuéramos mandando al interior. Evitaríamos así que por el riesgo de ser descubiertos se nos venga todo abajo.

Rutherford hacía unos minutos que se paseaba por el pequeño reservado. En uno de sus paseos, ante la ventana quedó parado y exclamó, mirando por ella:

—¡Vaya, hombre! Mentando al ruin de Roma... Ahí tenemos a Martin Buck.

—¡Voy a decirle dos palabras! —dijo Sam Taylor, levantándose decidido. El abogado le obstruyó el paso.

—No, creo que es mejor otra cosa. Escuchen —y expuso un plan cuyo resultado veremos en las próximas líneas.

Cuando terminó, Sam Taylor se dirigió a la puerta y, abriéndola, salió a un corredor del piso alto, desde el cual se veía todo el establecimiento de Erick Zeeman.

Junto al mostrador estaba Martin Buck, que bebía un whisky. A su lado el mexicano Larreta y Bill Randall.

Martin estaba preocupado. Cuando el día que encontraron a los chinos volvió al «Esmeralda», habló con su hermano del asunto.

—Sí —le contestó éste—, ya sé que esos amarillos cruzan por los pastos del rancho, pero no puedo hacer nada.

—No entiendo. ¿Qué quieres decir?

—Hace unos meses, vino a verme un amigo del otro lado del río...

—¿De México?

—Sí, de México. Le debía algunos favores de tipo comercial. Me rogó que dejara cruzar por el «Esmeralda» a un capataz suyo, que traía a dos chinos que iban para un rancho de Sierra Blanca. Así lo hice, porque creí que eso no tendría importancia alguna.

—Bueno —arguyó Buck—. También creo yo que eso carece de importancia... Al fin y al cabo, por nuestras tierras pueden pasar todos los que nosotros autoricemos.

—Así es, Martin... Pero no cuando se trata de chinos y éstos vienen del otro lado de la línea. Yo lo ignoraba entonces, mas al cabo de cinco o seis días de haber cruzado esos amarillos nuestras tierras, volvió otra vez Pedro Altarriba.

—¿Pedro Altarriba?

—Sí, el mexicano que me pidió dejara pasar a los chinos.

—¡Ah...! Ya entiendo.

—Nuevamente me dijo —siguió Arnold— que al día siguiente pasarían tres amarillos más. Me contó que no era ningún delito pasar unos hombres que querían trabajar en Texas... Que bajo el punto legal, estaba restringida la entrada de orientales, pero que cuando éstos pagaban un puñado de dólares, siempre encontraban unos amigos que los llevaban con todo cuidado al otro lado de la frontera.

—Y a pesar de eso siguen pasando por aquí, ¿verdad? —preguntó Martin.

—Sí; según Altarriba yo estoy metido en el asunto, porque si cogen a los chinos que han pasado, y éstos declaran que estuvieron en nuestro rancho...

—¡Arnold! ¿Pero los has traído aquí?

—No precisamente aquí, pero sí a una cabaña del «Barra P.» en donde esperan que vengan a buscarlos —Arnold Buck hizo una pausa, luego siguió—: Fui a Austin y consulté el asunto con un abogado. Me dijo que si yo había autorizado él que esos individuos pasaran por mis tierras me exponía a que, si se descubría todo, yo corriera el riesgo de perder el rancho. Por eso, Martin, continúa cruzando por los terrenos de «Esmeralda»... ya ni me dicen nada, los traen, se los llevan, y yo estoy con el temor de que un día todo esto se ponga al aire...:

tengo miedo no por mí, palabra; tengo miedo por Elizabeth y nuestro hijo, el pequeño Martin.

—¿Algo más?

—Sí, esta tarde cuando estuvo aquí Rutherford, dejó insinuar algo sobre unos pensamientos que podría comunicar al gobernador del estado. ¿Será que sabe algo del asunto?

—Te repito que no te preocupes. Por mi parte, creo que voy a visitar a ese amigo tuyo..., ese tal Altarriba. Y otra cosa, Arnold. He encontrado a un camarada que me salvó la vida en una ocasión. Es mexicano, pero noblote, aunque más burro que nadie en el mundo. Viene con un amigo suyo, y para lo que proyecto los voy a necesitar. ¿Puedes encuadrarlos en la nómina de la «Esmeralda»?

—Claro, Martin. Y si necesitas alguien más...

—Es posible; se me ocurre que hay una persona en el rancho que nos es fiel a carta cabal. Nos conoce desde niños y será útil para mí; me refiero a Clinton.

—Cuentas con él.

—Sí, será mejor contarle todo y luego déjalo bajo mi dirección.

Así lo hicieron. Martin fue a buscar a Larreta y a Bill Randall.

—«¡Mamasita mía!» —exclamó el mexicano cuando le dijo que quedaban al servicio del rancho «Esmeralda»—. Pero ¿es que tú te crees que yo he cruzado el río para trabajar en la tierra de los «gringos»?

—No seas animal, Larreta —le dijo Bill Randall—. ¿Es que no te has dado cuenta que nuestro trabajo será algo más movido que el lazar novillos?

—Sí, José —le arguyó Martin—. Si quieres ayudarme, vente al «Esmeralda». Necesito cazar unos asquerosos coyotes... y sé que tienes buena puntería.

Con eso quedó convencido. Se instalaron en el rancho y, aquella misma tarde, Martin, Clinton y los dos amigos fueron a Alamo Negro.

Clinton Strutt, el viejo capataz del «Esmeralda», dijo cuando entraban por la calle Mayor a caballo:

—Oye, Martin. Voy al almacén de ramos generales para encargar unas alambradas que necesitamos. Esperadme vosotros en «El Vaquero Alegre».

Y fue por eso por lo que Sam Taylor vio a Buck y a dos forasteros, bebiendo en el mostrador del «saloon».

Taylor descendió la escalera y paso a paso se acercó a Martin.

Zeeman, que también bajó tras él, se quedó a pocos pasos en situación expectante. Al pasar por una mesa en la que había dos individuos de mala catadura, habló unas palabras en voz baja. Estos se levantaron y se colocaron en ángulos opuestos desde donde dominaban todo el cuadrilátero del «saloon». Eran dos pistoleros.

Sin embargo, no notaron que unos oídos femeninos habían escuchado las breves palabras cruzadas entre ellos y Zeeman.

Mento Bustamante estaba sentada junto a la mesa de los dos pistoleros, se levantó y se dirigió hacia Martin. No obstante, los acontecimientos se adelantaron antes de llegar la chica a él.

Sam Taylor lo tocó en el hombro.

—¡Hola, entrometido! —le dijo.

—¡Caramba! —exclamó Martin al reconocerle—. ¡Si es el amigo al que tuve que enseñarle modales para con las señoras!

—¡Yo no soy su amigo!

—Lo mismo da... ¿Quiere beber una copa? —le invitó tranquilamente.

—¡Lo que quiero es partirle su bonita cara, para que no pueda presumir más ante las muchachas!

—Inténtelo... Si puede...

—¡Vamos! Déjese de palabrería y defiéndase. Voy a demostrarle que cuando no coge desprevenido a su contrario, éste puede hacer un guiñapo de su tipo.

—¡Oye, Martin! —exclamó el mexicano al ver a Taylor—. Yo conozco este «chango rajao» y sé que es capaz de cualquier cosa... Déjalo en mis manos.

—Lo siento, José, pero ya ves que es a mí a quien quiere dar una paliza.

Martin se soltó el cinturón de donde colgaban sus revólveres. Lo dejó en manos de Bill Randall, que permanecía callado, pero observando todas las mesas del «saloon».

Sin contestar una sola palabra, Sam Taylor hizo lo mismo. Entregó sus pistolas a un asistente.

—Toma —le dijo— guárdame esto, que no necesito dientes para acabar con este fanfarrón.

Fue entonces cuando ocurrió lo que nadie esperaba.

Mento Bustamante, que observaba todo lo que ocurría, no perdió de vista ni un solo momento a los dos individuos que cruzaron unas palabras con Zeeman.

Cuando Martin y su contrincante dejaron los revólveres, la muchacha dio un grito.

—¡Cuidado, Martin! ¡Allí...!

No terminó la frase porque unas detonaciones ahogaron el chillido de la joven. Sin embargo, fue bastante. Martin se tiró al suelo, pero no con suficiente para evitar que una bala le hiciera un surco sanguinolento en la cabeza.

Fueron cuatro detonaciones que se cunfundieron en una sola.

Cuando Taylor dejó los revólveres, como si eso fuera la señal esperada, los individuos sacaron los suyos y buscaron posición entre los que les estorbaban para poder disparar sobre Martin Buck.

Al dar la chica el grito de aviso apretaron el gatillo, pero como si los dos disparos hubieran sido contra ellos mismos, cayeron al suelo, al par que una rara expresión de extrañeza se dibujaba en sus caras.

—¡Por Dios, que llegué a tiempo! —exclamó una voz en la misma puerta del establecimiento.

Los asistentes miraron hacia allí y vieron, encuadrado por las jambas de la entrada, a Clinton Strutt, el viejo capataz del rancho «Esmeralda», que sostenía en sus manos dos niquelados revólveres que aún humeaban por la boca de sus cañones.

Martin se levantó tambaleándose. Mento se acercó a él y nerviosamente dijo:

—¡Oh...! ¡Le han herido! ¡Yo oí como les decían que...!

—¡Vamos, muchacha! —intervino Zeeman acercándose al

grupo—. No te metas en cosas de hombres. Marcha con las otras chicas...

—¡Usted...! ¡Sí, usted lo dijo!

El propietario de «El Vaquero Alegre» agarró a la joven por el brazo y la quiso arrastrar hacia un ángulo de la sala.

Todo esto sucedía junto a un poste de madera que sostenía parte del techo del «saloon».

Sin embargo, algo pasó centelleante a pocos milímetros de su rostro y se clavó con un golpe seco en la madera del poste.

Zeeman vio un grueso cuchillo clavado. Volvió la cara al sentir una voz que le decía lentamente:

—No se asuste, amigo. Era una «malosa» araña que quería molestar a una mosquita —y al decir esto, Larreta enseñaba sus blancos dientes en una sonrisa, al par que se limpiaba las uñas de la mano con un cuchillo idéntico al que quedara clavado en la madera.

Zeeman quedó pálido y sin una palabra más desapareció rápidamente del lugar de la escena.

El mexicano continuó dirigiéndose a Martin Buck, mientras señalaba a Sam Taylor.

—Ya le decía que este «chango rajao» no jugaba limpio. Pero ahorita, patrón, me va a dejar que yo lo «difuntee».

—¡Oiga! —exclamó Taylor—. ¡Yo no tengo nada que ver en el intento de esos dos cobardes!

—Esos dos cobardes ya no podrán serlo nunca más —aseguró Clinton Strutt acercándose a ellos.

—¡Vamos! ¡Menos palabrería y prepárese!

Con estas palabras, Sam se lanzó como un ariete sobre Martin y le encajó un formidable puñetazo, exactamente sobre el surco aún sangrante que le hiciera el proyectil.

El joven se tambaleó dos o tres pasos. Su enemigo no lo dejó reaccionar y nuevamente le atizó otro soberbio golpe sobre el mismo sitio, que dio con él en tierra. Buck quedó tendido unos segundos con la respiración entrecortada. Después, poco a poco, se fue levantando. Sin embargo, no queriendo que se reanimara, Sam Taylor dio un felino salto y se lanzó sobre él.

Quizá eso fue lo que decidió la lucha. Buck, al darse cuenta que se le venía encima aquella mole de carne, no intentó levantarse. Giró sobre sí y se apartó en un rápido movimiento del lugar exacto donde cayó el cuerpo del vaquero.

Por un instante, Sam quedó desconcertado al sentir en su cuerpo el duro golpe contra el suelo. No percibió claramente cómo había desaparecido su enemigo. Se levantó con una maldición entre los labios, y, como un toro furioso, se arrojó de nuevo sobre el joven.

Martin ladeó rápidamente la cabeza y un puño pasó rozándole el oído. Luego, él amenazó un golpe en el estómago del contrario con la derecha, cuando éste lo esquivaba, un formidable gancho con la izquierda que recibió de pleno en la mandíbula, dio con Taylor en tierra.

Aún intentó levantarse, pero las pocas fuerzas que le quedaban no fueron suficientes para ello y nuevamente se dejó caer, quedando de bruces sobre el suelo.

—¡Linda pelea! —exclamó Larreta—. De verdad patroncito que este «pelao» se va a acordar mucho tiempo de ella.

Martin no respondió. Se acercó al mostrador.

—Déme un vaso de agua —pidió.

Buck recogió el vaso que le sirviera el barman y volcándoselo poco a poco en la mano, se fue refrescando el rostro.

Clinton Strutt, que había estado observando atentamente a los que estaban en «El Vaquero Alegre», llegó hasta el muchacho.

—Ese ya tiene bastante —dijo refiriéndose a Sam Taylor, que aún continuaba en tierra—. Luego siguió al ver que unos hombres recogían los dos cadáveres y los sacaban del local—: ¡Eh...! ¡Llevarse también a éste y tirarle un cubo de agua a la cara, creo que lo necesita!

CAPITULO · 4

¿QUE demonios pasa aquí —exclamó una voz en fuerte tono, unos minutos después de todo lo descrito en el capítulo anterior.

Martin, que aún estaba apoyado sobre el mostrador junto a sus acompañantes, volvió la cara.

—Creo que has llegado tarde, Nick.

El sheriff avanzó hacia el grupo compuesto por Buck y sus amigos.

—Oye, Martin —dijo el sheriff de Alamo Negro—: sólo hace dos días que has vuelto y ya estás dando trabajo... ¿Piensas estar mucho tiempo aquí?

—No creo que eso le interese a nadie, porque estoy en un sitio en el que no soy forastero precisamente... Sin embargo, te puedo decir que sólo espero arreglar unos asuntillos para desaparecer del pueblo.

—Bien; lo único que quiero es que no olvides que aquí hay un sheriff.

Clinton Strutt intervino en la conversación.

—Oye... tú dices que hay un sheriff, pero si éste es un botarate que llega tarde a todas partes... ¿Quieres que por eso se dejen asesinar premeditadamente las personas?

—Paso por lo de botarate porque me lo dices tú, Clinton; pero explícame eso de asesinar premeditadamente.

Strutt le refirió lo sucedido.

—¿Dices que esa muchacha lo oyó?

—Sí, sheriff —afirmó Mento Bustamante, que oía lo que se

hablaba—, oí como Zeeman decía a los dos individuos que cuando Martin soltara las pistoleras le dispararan y salieran a uña de caballo

—¿Zeeman? ¿Ese perro asqueroso? ¡Por todos los cuernos del mundo que me ha de explicar esto!

Más cuando Nick O'Neill preguntó por él a un mozo del «saloon», éste le informó que el patrón había salido hacía unos segundos.

Efectivamente; Zeeman y Rutherford se habían marchado juntos, saliendo por una puerta trasera que daba a un estrecho callejón.

Martin Buck se acercó a Mento.

—Oiga: ¿quiere aceptar que la invite?

—Claro, ¿por qué no?

Se acercaron a una mesa un poco alejada y tomaron asiento.

—Es curioso —dijo la muchacha—. Nunca había trabajado en…, en lo que aquí, en los Estados Unidos de la Unión, denominan «saloons».

—¿Nunca se dedicó a…?

—Siga, Martin. No se detenga.

—Bueno…, quiero decir si antes de ahora no trabajó en esto…

Mento levantó la vista que tenía fija en la mesa y la clavó en los ojos de él.

—En México cantaba en algunos sitios. Pero sólo cantaba, ¿comprende?

—¿Y ahora?

—Ahora…

La chica encogió los hombros en señal de impotencia. Luego, siguió:

—Ahora no sé lo que haré. La vida nos zarandea bruscamente y tiene sus exigencias.

Martin ya había visto y hablado con la muchacha varias veces. Una, cuando llegó en la diligencia, y en el viaje; otra ese día. Sin embargo, hasta ese instante no se dio cuenta de que los ojos de Mento Bustamante eran negros y grandes como luceros.

La miró detenidamente.

—¿Le gusta este... ambiente? —dijo.

—¡No, por Dios! —exclamó la mexicana—. Detesto esto, pero... ya le he dicho que la vida tiene sus exigencias.

—Es verdad... ¡Qué sé yo de su vida!. Sin embargo, soy..., quiero ser su amigo. Hoy me ha salvado la vida, y estoy en deuda con usted; una deuda que no se paga con dinero. De verdad, Mento: ¿aborrece usted esto?

—¡Claro que sí! —exclamó la joven—. Pero si se diera cuenta de lo que es pasar hambre, de lo que significa acostarse sin probar bocado en todo el día. Y sobre todo, de no poder recurrir a una mano amiga; saberse sola, ¿comprende? Sola entre la angustiosa indiferencia de los que te rodean...

La silla ocupada por la muchacha estaba junto a la pared. La mesa se encontraba en un rincón de la sala. Apoyó la cabeza sobre el tabique de madera y clavó su vista en un punto del techo. Después de un hondo suspiro, continuó:

—Las mujeres te miran de arriba abajo, porque saben que eres joven y sola... Los hombres..., los hombres están prontos a servirte, pero sus favores quieren cobrarlos.

Nuevamente la muchacha hizo una pausa. Fue rota por Martin.

—Mire, tengo una idea... Pienso que después de lo sucedido con Zeeman, no puede usted seguir aquí.

—Eso creo... Debo regresar a Calamita, en México.

—Yo no sé —continuó Martin— por qué la actitud de Erick Zeeman; nunca le hice nada para que deseara mi muerte... Pero me enteraré. ¡Claro que me enteraré! Mas eso es cuestión mía; ahora se trata de usted. ¡Nick! —llamó al sheriff.

Este, que se encontraba en el mostrador, acudió presuroso.

—Oye, Nick —le dijo Martin, cuando aquél se acercó a ellos—. Necesitamos sacar a esta muchacha de aquí. Después de sus acusaciones contra Zeeman esta chica no puede continuar aquí. Es más: no debo permitirlo, porque si estoy en pie en estos momentos, se lo debo a ella.

Nick O'Neill se rascó perplejo la cabeza.

—Sí..., claro —dijo—. Estoy pensando que... sí —repitió—. Ya está. Esta chica estaría bien en casa de la viuda de...

—¡Un momento! —interrumpió Clinton Strutt, que se había acercado segundos antes y oído la conversación—. Esta chica, si ella quiere, claro es, puede venir a mi casa. Mi mujer, cuando sepa que ha salvado la vida de Martin, la tratará con más cariño que... Bueno, con más cariño que a mí mismo. ¿Les parece bien?

Dos gruesas lágrimas rodaron por las mejillas de la mexicana.

—Son ustedes muy buenos —dijo.

—¡Bah! Yo soy un viejo buitre que no mira las situaciones de las personas. Son sus actos los que cuentan..., y usted, señorita, ha demostrado no transigir con asesinos traicioneros.

Y así fue como Mento Bustamante vivió, desde aquel día, en la casa que tenía en el rancho «Esmeralda» el capataz Clinton Strutt.

* * *

Cuando Lewis Sutherford, seguido de Erick Zeeman penetró en su despacho del banco, dijo dando un fuerte puñetazo sobre la mesa:

—¡Es un mal enemigo, y hay que dominarlo a toda costa!

—¡Maldita sea! —exclamó Zeeman, recordando lo sucedido—. Esa chica me ha puesto en una situación que...

—¿Cómo no se te ocurrió fijarte que había alguien escuchando? —preguntó Rutherford.

—Ni yo mismo lo sé. Pero lo cierto es que ahora no puedo volver al «saloon».

—No seas estúpido, Zeeman. ¿Es que tienes miedo a Buck?

—Miedo precisamente, no; no es miedo. Pero esa muchacha me ha acusado de ser el instigador de un asesinato.

—Niégalo y no te preocupes más. Tu presencia en «El Vaquero Alegre» es necesaria. Altarriba ha de venir dentro de dos o tres días.

—¡Altarriba! Y ¿qué ha conseguido ese mexicano?

Más de lo que tú crees. Por lo pronto tenemos mezclado a

Arnold Buck en el asunto de los chinos. El ignora totalmente nuestra intervención en el negocio.

—Sí, pero no veo la ventaja de haber mezclado a ese individuo en esto.

—Cada vez me convenzo más de que no sirves para pensar. ¿No ves la ventaja de ello?

—Ya le digo que no.

—Es muy fácil comprender. Supón que escribo al gobernador del estado y le comunico que sé por dónde entran clandestinamente en Texas grupos de orientales en forma periódica, y sabiendo el nombre del individuo que los trae, le ruego envíe un agente especial para entrevistarse conmigo a fin de darle los datos necesarios.

—¡Pero es un «chivatazo»!

—¡Calla, idiota! Si no hubiera regresado Martin Buck, ya estaría esto hecho. Los chinos, sorprendidos en el rancho «Esmeralda»; y el dueño, detenido.

—Sí, pero los amarillos dirían...

—Dirían —le interrumpió Rutherford— que un tal Arnold Buck los introduce en los Estados Unidos, por intermedio de agentes suyos, ¿comprendes? Es el nombre de Buck el que se pronuncia constantemente ante ellos.

—Ya... Creo que voy entendiendo... Arnold, detenido... Su mujer, sola... ¡Sí, claro! Nos sería mucho más fácil conseguir el «Esmeralda» o «El Barra P.».

—Naturalmente —siguió el banquero— que la vuelta de Martin nos ha chafado el asunto, pero... quién sabe... A lo mejor, o a lo peor para él, se encuentra con unos gramos de plomo en su camino a la altura de la cabeza.

—No estaré tranquilo mientras eso no suceda —dijo Zeeman.

—Escucha, Erick. Altarriba me comunicó que pasado mañana enviará seis muchachas. Dos francesas y cuatro polacas. Las pasará por el río hasta este lado de la frontera. Sin embargo, corremos el peligro de que todo se descubra. Además, con ellas enviará un paquete de «coca».

—¿Las va a pasar por terrenos del «Esmeralda»?

—Las iba a pasar.

—¿Quiere decir que...?

—Que le he avisado que no haga nada hasta que se despeje esto.

—Me parece muy bien. Ahora, que... si esto dura mucho.

—No más de lo que yo permita. Está tranquilo. Ahora regresa al «saloon» y continúa como si no hubiese pasado nada.

—¿Y la muchacha?

—Creo que lo mejor es que la despidas y marche a su país. Ya ha dado bastantes quebraderos de cabeza.

—Sí, eso es lo mejor.

Y Erick Zeeman se despidió de Rutherford, encaminándose a «El Vaquero Alegre».

Cuando llegó allí y preguntó por la chica, le informaron que se había marchado con los hombres del «Esmeralda» hacía unos minutos.

—¡Mejor! —exclamó—. De esa forma ha evitado el que yo tenga que despedirla.

* * *

Unos días más tarde. Mento Bustamante y Elizabeth, la mujer de Arnold Buck, charlaban bajo el porche que se extendía a la entrada del rancho.

—Son ustedes muy buenos —decía la mexicana—, pero debo marchar a México.

—¿Por qué? ¿Es que no estás bien aquí?

—Sí; muy bien. Pero mi puesto no es éste. A veces pienso si hice bien en aceptar la hospitalidad de Strutt.

—No lo entiendo. Estás bien, te sientes feliz, porque así me lo has dicho, y sin embargo, quieres marcharte.

Mento Bustamante no respondió. Unas lágrimas rodaron en sus ojos. Elizabeth sonrió.

—Escucha, muchacha. Ante unos ojos femeninos no pasan inadvertidas ciertas cosas. Yo sé por qué quieres irte.

—¿Usted..., tú sabes...?

—Sí. Todo gira alrededor de una persona. ¿Me equivoco?

—Entonces —respondió la muchacha—, si lo sabes, comprenderás que debo irme, ¿no?

—¿Por qué?

—¿Por qué?... Porque yo no soy digna de amar a nadie. Mi vida...

—No digas tonterías. El pasado de una persona es como si estuviera enterrado, y sólo los hechos repetidos de aquel pasado pueden desenterrarlo. Tú quieres a Martin...

—¡Oh Dios mío, qué vergüenza!

Elizabeth se acercó a la joven; le pasó la mano por el hombro:

—Escucha, Mento. No debes avergonzarte de ese amor, si es noble y puro. Ya me había dado cuenta de ello..., y, francamente, te creo capaz de hacerle feliz. Mas... quiero decirte algo. A veces, eso que creemos amor, no es más que un espejismo en el que nos engañamos. Si tu afecto es verdadero, no te avergüences y lucha por él... Pero analízalo bien, no sea que mezcles la gratitud y confundas el verdadero sentido de tu cariño...

—Debo marcharme —dijo—; y debo hacerlo porque le quiero de verdad. Si mi afecto fuera interesado, no me importaría nada. Pero en el poco tiempo que hace que le conozco, he comprendido que al cruzarse en mi vida ha traído a mi corazón el único afecto puro que he conocido, ¿comprendes? Pero no se lo digas, por favor.

—Descuida, seré una tumba, pero a cambio de que te quedes con nosotros unas semanas... Después haz lo que creas mejor.

—Prometido. Me quedaré una semana o dos, y luego marcharé.

Arnold Buck se acercó en aquel momento a ellas. Le acompañaban Clinton Strutt y el mexicano Larreta.

—Ya sabes, José —decía Buck cuando se acercaban al porche en el cual estaban las dos mujeres—. Martin regresará esta tarde del otro lado del río. Creo que cuando él venga estará en condiciones de poder solucionar algo que hay pendiente con Lewis Rutherford.

—Pero, patrón. ¿Por qué no me avisó? Yo debía haber ido con él.

—No hay cuidado alguno. Ha ido a ver a un tal Altarriba, y...

Un leve «¡Oh!» de la joven hizo que dejara sin terminar lo que decía.

—¿Pedro Altarriba, de Calamita? —preguntó Mento.

—Sí. ¿Por qué? ¿Le conoce, quizá?

—Pedro Altarriba es un canalla que se rodea de un grupo de matones.

—Pero es un negociante que compra ganado para los mataderos y las fábricas de conservas —dijo Arnold, extrañado.

—Oficialmente así es; pero hay muchas muchachas que son unas desgraciadas a causa de Pedro Altarriba.

—No le entiendo... Explíquese.

—En un tiempo —comenzó diciendo la joven—, tuve una amiga que fue..., bueno, fue protegida por ese individuo. Por ella supe muchas cosas sobre sus actividades. Se dedica al contrabando de cocaína y estupefacientes; pero lo más repugnante de Pedro Altarriba es que tiene agentes destribuidos por muchos lugares de América, cuya misión no es otra sino traer a México engañadas a muchachas cuyos destinos son los lupanares, «saloons» y otros locales destinados al comercio de sus cuerpos.

—¿Ha oído decir usted si dentro de esa gama de negocios sucios entra el introducir clandestinamente a orientales?

—No sé. Pero lo que mi amiga Lupe me contó era que quien financiaba una gran parte de esos asuntos se encontraba en Alamo Negro, y era norteamericano.

Clinton Strutt se acercó a la muchacha.

—Creo interesante que hablemos con... esa chica..., esa tal Lupe. ¿No le parece, patrón?

—Es imposible —afirmó Mento—; Guadalupe Martínez murió de un balazo en Calamita.

—¿Asesinada?

—No lo sé. La versión que llegó hasta mí fue que se encontró, sin quererlo, en medio de una pelea entre unos mexicanos que iban bebidos. Hubo tiros y uno de ellos dio a la pobre Lupe en mitad del corazón.

—¡Dios mío! ¡Igual que mi pobre padre! —dijo Elizabeth.

—Sí —afirmó Strutt—; y esto me hace pensar muchas cosas. Oiga, patrón —siguió—: creo que si Martin está en Calamita para hablar con ese Altarriba, y ha ido solo, lo más acertado sería salir para el otro lado de la divisoria ahora mismo.

—¿Quieres decir que...?

—Quiero decir, que también su hermano podría encontrarse metido en medio de una pelea de mexicanos. ¿No se da cuenta?

—¡Clarito! —exclamó Larreta—. Pero si ahorita no más salimos al trote de los caballos, antes de cuatro horas estamos en Calamita. ¿Qué hubo, patrón? ¿No le parece bien?

—Pues... —calló, pensando quizá lo más a propósito a seguir—. Pues pienso que eso es lo más acertado. No creo que Martin corra peligro alguno, mas por si acaso... Sí, es lo que vamos a hacer.

—Oiga, patrón —le dijo Strutt, deteniéndole con un gesto—. No es necesario que usted venga. Con Anselmo, Bill, Larreta y yo hay suficiente para visitar Calamita. A lo mejor no tenemos que llegar hasta allí; pudiéramos encontrarlo de vuelta, ¿no le parece?

—Es posible que tengas razón, Clinton. De todas formas, no demorarse y partid cuanto antes.

Serían las tres de la tarde cuando salieron del «Esmeralda».

* * *

Unas cuantas horas antes, Martin Buck había llegado a Calamita.

Su primera intención fue ir directamente al asunto que allí le llevaba, pero pensó no hacerlo hasta saber por un amigo, que en esa ciudad tenía, quién era y a qué se dedicaba en realidad Pedro Altarriba.

—No te puedo decir concretamente si Altarriba camina dentro de la ley, o si sus negocios son claros —contestó éste a una pregunta de Buck—. Pero se dice que está complicado en un asunto de mujeres.

—¿De mujeres...? No te entiendo.

—Desde hace algún tiempo se sabe que por esta línea fronteriza están cruzando muchachas que van a los Estados Unidos para vivir de... de sus encantos, ¿comprendes?

—¿Quieres decir... prostitutas?

—Hombre, Martin —respondió Pancho Bonante, que así se llamaba su amigo, al par que encogía los hombros—. Todas las chicas que viven de su trabajo en «saloons» y lupanares, tienen un nombre. Ahora bien: posiblemente entre éstas van muchachas engañadas que cuando las contratan creen ir a trabajar en otros menesteres. Pero lo cierto es que todas terminan igual.

—¡Qué canalla! —exclamó Martin—. Eso me define moralmente la catadura de ese individuo.

Prendió fuego a su pitillo y lanzó una bocanada de humo hacia el techo. Luego, siguió diciendo:

—Creo que iré a verlo. Dime, Pancho: ¿me será fácil encontrar esa... oficina?

—No tiene pérdida... pero te acompañaré hasta la puerta de su despacho.

Los dos amigos se encaminaron hacia la calle Jalisco, del incipiente pueblo de Calamita.

Llegaron, unas yardas después del banco, a un edificio de ladrillo de ancha puerta.

—Esta es la casa —le dijo Pancho Bonante, al par que señalaba el interior del portal—. Sube las escaleras y la primera puerta que encuentre, es la oficina de Altarriba.

—Gracias, Pancho.

Cuando terminó de subir las escaleras se encontró ante un pasillo estrecho, pero profusamente iluminado por una gran claraboya de cristales que cubría parte del techo. Vio dos puertas. Una, casi al fondo; otra, al principio del mismo, junto a la escalera.

Quedó indeciso por unos segundos, pero notando que en la más próxima a la escalera se sentía ruido, se decidió y golpeó ésta con los nudillos.

Casi enseguida se abrió la puerta. Martin se encontró ante un hombre de unos cuarenta años. Vestía un híbrido atuendo, entre vaquero y hombre de ciudad. Llevaba unos estrechos pantalones, cuyas perneras iban embutidas en unas altas botas de cuero flojo. Una levita «Príncipe Alberto» cubría su busto encima de una alba camisa, cuyo cuello casi quedaba oculto por una chalina negra.

—Buenos días. ¿Puedo serle útil en alguna cosa? —dijo amablemente el mexicano, con una sonrisa que dejaba al descubierto unos incisivos y blancos dientes.

—¿Es usted Pedro Altarriba?

—Sí, en efecto. Si quiere hablar conmigo, pase. Casualmente me encuentra, porque en este momento salía para ver una punta de ganado que compré ayer tarde.

—Me llamo Martin Buck y soy de Alamo Negro —dijo escuetamente, al par que entraba en el despacho.

—¿Y bien...? —respondió Altarriba, con un gesto interrogativo.

—¿No le dice nada mi apellido?

—¿Su apellido? —quedó pensativo—. Buck... Buck... No sé, francamente. Conozco a un Buck en Alamo Negro, pero...

—Es mi hermano Arnold, del rancho «Esmeralda».

—Soy un buen amigo de su hermano Arnold —dijo—. Por mi parte, encantado de conocerle.

Martin Buck, sin responder a su saludo ni estrechar la mano que le tendiera, metió los pulgares en el cinturón canana.

—Oiga usted, Altarriba. No sé si ignora que el rancho «Esmeralda» no es sólo de mi hermano; es tan mío como suyo.

—No le entiendo. ¿Qué quiere usted decir? —respondió el mexicano, cuyo rostro estaba congestionado por la ira, al ver que Martin no había hecho el más mínimo caso a su gesto amistoso de alargarle la mano.

—Pues es bien fácil lo que quiero decirle. ¡Que no vuelva usted a cruzar por mi rancho, con uno solo de esos asquerosos amarillos!

—¡Oiga! Su hermano... —empezó a decir Altarriba, sin poder terminar la frase, pues se vio interrumpido por su interlocutor.

—Mi hermano está en este asunto conmigo... Y le advierto que el equipo del «Esmeralda» tiene orden de disparar primero sobre los que crucen por allí sin nuestro permiso, y preguntar después qué hacían en nuestras tierras. ¿Comprende?

—Sí; voy entendiendo.

—Celebro que así sea. Creo que es mejor entenderse hablando. ¿No le parece?

—Claro que sí...; por eso mismo le ruego se siente unos segundos y me escuche en lo que le voy a decir. Será mejor para todos.

Sin responder, Martin Buck tomó asiento en una silla que le acercó Altarriba. Este lo hizo igualmente, tras una mesa, frente al joven.

—Según parece, su hermano le ha contado lo de los chinos, ¿no?

—Así es.

—Y ¿qué opina usted de ese... negocio?

—Usted no me entendería. Solamente voy a decirle que no quiero, que no consentiré que mi hermano se meta en un hoyo del que le cueste trabajo salir. Lo hago por él y por..., bueno, ya le he dicho que no lo entendería. Pero lo que quiero que quede bien patente, y eso sí que lo ha de entender usted, es que por el «Esmeralda» no cruce un solo chino ni... una sola muchacha.

Martin agregó esto a ciegas, sólo por lo que su amigo Bonante le dijo sobre lo que se decía en Calamita. Enseguida notó que su tiro al azar había dado en el blanco.

Pedro Altarriba se puso en pie. Su cuerpo se envaró y acercó peligrosamente sus manos a las culatas de los revólveres.

Sin moverse, y con suma tranquilidad, Martin Buck le dijo:

—Ahora soy yo el que le dice que es mejor entenderse hablando, ¿no le parece?

—¿Quién le contó ese cuento?

—Si es cuento, ¿por qué se preocupa? Y si no lo es..., ¿no cree que es mejor que hablemos?

—Bien, empiece. ¡Descubra su juego! —le conminó Altarriba.

—Tengo escalera de color en este envite. ¿No tira usted sus cartas?

—¡Déjese de rodeos y vamos al grano! ¿Qué desea?

—Ya se lo he dicho: que deje en paz al rancho «Esmeralda», y no se le ocurra más pasar por allí.

—¿Y si no lo hiciera?... ¿No se ha dado cuenta que su hermano está mezclado en este asunto? —hizo una transición—. Escuche —siguió—: Voy a serle franco. Tengo preparados cuatro orientales que iban a pasar en la próxima madrugada.

—Ya le he dicho que desista de ello —le respondió Martin, mirándole fijamente.

—Sí, claro... Si usted no quiere... Pero no sé si podré detenerlos. Mire —siguió—: salgo ahora mismo a encontrarlos, y si aún está en... Beno, en donde yo creo, les haré que crucen por otro sitio.

Miró un grueso reloj de oro que sacó de un bolsillo del chaleco.

—Son las diez —dijo—; si no tiene inconveniente, venga a verme por la tarde.

—¿Por la tarde? Tengo que volver a Alamo Negro.

—Hágalo por..., por la buena marcha de este asunto, y quédese hasta que hable conmigo nuevamente. A las seis estaré otra vez aquí. Venga, que entonces hablaremos concretamente de este negocio.

—Bien. He venido dispuesto a terminar con este asunto de los chinos, y no voy a dejarlo por unas horas más o menos. ¿Dice a las seis?

—Sí; a esa hora estaré aquí.

—Entonces, hasta las seis.

Y Martin Buck se puso en pie, encaminándose hacia la puerta sin agregar una sola palabra más.

CAPITULO · 5

A la hora indicada por Altarriba, Martin Buck iniciaba la subida a los primeros peldaños de la escalera.

No tuvo que tocar para que le abrieran, porque aún no había terminado de remontar las escaleras cuando la puerta por donde entraba aquella mañana se abrió, y en el umbral apareció Pedro Altarriba.

—¡Hola, Buck! —dijo, al par que le dejaba sitio para que entrara, echándose a un lado—. Pase usted...

—¡Hola, Altarriba! He sido puntual, ¿no?

Sin responder concretamente a su pregunta, Pedro Altarriba contestó con otra:

—¿Le interesa vender su parte en el rancho «Esmeralda»?

—¡No! —respondió secamente su interlocutor.

—Bien... Entonces, voy a hacerle otra propuesta. Me consta, como usted dijo esta mañana, aunque entonces no lo sabía, que su vida ha sido algo..., bueno, algo movida, ¿no?

—¿Adónde va usted a parar? —respondió Martin, con una arruga en su entrecejo.

—No se precipite. Voy a decirle algo claro y concreto, que si lo comprende bien, aceptará inmediatamente. ¿Quiere ingresar en nuestra organización?

Martin se levantó y se acercó a su interlocutor.

—¿Qué ventajas me reportaría eso? —le preguntó con una voz lenta y silbante.

—¿Ventajas?

Altarriba lanzó una carcajada, y mirándole a los ojos, continuó:

—Dólares contantes y sonantes. ¿Es suficiente ventaja?

—¡Pchs...! Según se mire. Dice usted «nosotros», pues bien: ¿quiénes son los otros? Si me decido a pertenecer a vuestra... banda...

—Diga organización... Suena mejor, ¿comprende?

—Es lo mismo. Mas si lo prefiere de esa forma... Diga —repitió—: ¿quiénes son los otros? Antes de decidirme debo saber todo, ¿no lo cree así?

—No —dijo—, no puedo ahora decirle nada. Todavía no puedo confiar en usted.

—Al menos puedo saber qué clase de mercancía introducen en los Estados Unidos de la Unión, ¿no?

—Chinos, ya lo sabe.

—¿Sólo chinos?

Altarriba encogió los hombros, en un gesto ambiguo.

—No le puedo decir más. ¿Le interesa mi propuesta? Si es así, contésteme.

Martin cogió a su interlocutor por la solapa de la levita.

—No sé cómo me he podido contener para no partirle su innoble cara. He aguantado, porque intentaba sabe quién se ocultaba tras de usted. Ahora, ésta es mi respuesta.

Y al mismo tiempo que lo soltaba le dio una fuerte bofetada que sonó con un chasquido seco.

Pedro Altarriba lanzó una obscena maldición, llevando su mano a la culata del revólver. Sin embargo, antes que lo sacara, se encontró con que Martin le miraba por encima del cañón del suyo.

—No lo intente. No le daría tiempo. Ahora va usted a escucharme, y, ¡por Dios!, Altarriba, que si no me obedece será la última vez que lo haga —hizo una pausa. Luego siguió—: Lo que «ustedes» hagan me tiene sin cuidado. Pero lo que no volverán es a cruzar por los terrenos del «Esmeralda». Y otra cosa: olvídese del nombre de Arnold Buck pues si es sacado por algún motivo en este sucio negocio, por usted o por alguno de sus secuaces, tenga la seguridad que le alojaré en su corazón el plomo suficiente para que pese unos gramos más.

Martin vio cómo Altarriba miraba por encima de su hombro, y sus labios se plegaban en una sonrisa.

—Es muy viejo ese truco. Si cree que volveré la cabeza, se equivoca; y ahora vuélvase, que...

Una voz seca y autoritaria sonó a su espalda. Al mismo tiempo sentía la presión de un revólver sobre sus costillas.

—¡No se mueva, amigo! Creyó que era un truco, pero no contaba con que la puerta estaba abierta y podía haber alguien escuchando.

Martin comprendió que no debía hacer nada por el momento. Dejó caer su revólver al suelo y fue levantando poco a poco los brazos hasta la altura de la cabeza.

—Esta mañana dijo que tenía escalera de color en este envite, ¿verdad?... Pues me parece que no pasaba de un farol que se lo voy a apagar con mis cartas, que son éstas.

Y al decir esto le dio un violento bofetón que le puso la mejilla al rojo.

Con parsimoniosa tranquilidad, Martin le escupió a la cara estas palabras:

—Esto te costará la vida, Altarriba. Es muy de macho hacer lo que ha hecho, teniendo un revólver apretado sobre mis costillas. Pero..., a pesar de todo eso, no lo repita, porque...

Buck sin pensar que detrás de él había un peligroso revólver apuntándole, bajó rápidamente los brazos y le dio un magnífico derechazo que dio con Altarriba en tierra. Sólo pudo hacer eso. El individuo que tenía el revólver en la mano lo levantó; golpeó con el cañón en la cabeza de Martin, haciendo que éste perdiera el sentido.

Se desplomó en el suelo como un fardo.

Altarriba se levantó tambaleándose. Miró con ojos en los que se leía el odio, a Martin, y acercándose a él, le dio un fuerte golpe en las costillas.

—No sé cómo me contengo. Pero no pararé hasta meterle

seis tiros en su cabeza o diez centímetros de su cuchillo en su corazón.

—Me parece muy bien. A estos entremetidos sólo se les puede hacer entrar en razón por la violencia... Pero creo que lo mejor que haces ahora es ir hasta la cabaña en donde espera Rutherford. El, mejor que nadie, dispondrá qué hacemos con ese fulano.

—Sí, pero antes hay que asegurarlo para que no pueda huir.

Altarriba abrió un armario que estaba a costado de la habitación y sacó de él un lazo de los empleados por los vaqueros de la Unión, o peones mexicanos.

—Esto vale —dijo Billy Norton, que así se llamaba el otro individuo, al par que se guardaba el revólver en la funda.

Se acercaron al que estaba en el suelo, y entre los dos lo amarraron fuertemente. Después lo amordazaron.

Salieron, y ya en la calle, Norton subió a su caballo y partió hacia las afueras del pueblo, no sin decir antes a su acompañante:

—Date prisa. Yo me adelanto para poner a Rutherford en antecedentes de lo sucedido.

—No tardo ni quince minutos. Sólo el tiempo de ensillar mi caballo.

Y con esas palabras se separaron, entrando Altarriba en un patio o corral próximo a su casa.

No habían transcurrido cinco minutos cuando galopaba desenfrenadamente en dirección a una cabaña que a pocas millas de Calamita había, y en donde esperaba Rutherford el resultado de la entrevista con Martin Buck.

* * *

Próximo al río, entre un grupo de altos y temblones álamos, existía una semiderruida cabaña que un día ya lejano sirvió de residencia a unos pastores.

En aquellos momentos la ocupaban Billy Norton, que acababa de llegar de Calamita, y Lewis Rutherford, el banquero de Alamo Negro.

Cuando aquella mañana Martin Buck salió del despacho de Altarriba, con intenciones de volver por la tarde, el mexicano envió a Norton al otro lado de la divisoria para que se entrevistara en Alamo Negro con Rutherford.

Le explicó las pretensiones del joven, así como todo lo que había dicho referente al paso de chicas por aquel lugar.

—Mire, Norton. Regrese inmediatamente a Calamita. Dígale a Pedro que por todos los medios posibles consiga dos cosas, o al menos una de ellas. Que nos venda la parte que le corresponde del rancho «Esmeralda»..., o que se alíe con nosotros en este negocio, ¿comprende?

—¿Y si se niega a las dos cosas?

—¡Pchs...! —exclamó al tiempo que encogía los hombros—. Si es tan testarudo como todo eso... Bueno —continuó—, desde luego, hagan por conseguir lo que yo digo. Lo que tiene que decirle a Pedro es que si ese individuo no acepta nuestra proposición, entonces... mátenlo.

—En ese caso, regreso inmediatamente.

—Sí; yo también pasaré al río y esperaré en la cabaña. Después que Altarriba vea a Buck, que vaya a verme.

Y fue por eso, por lo que el banquero se hallaba en la cabaña.

—¿Y bien? —preguntó éste, no bien Norton se apeó del caballo.

—Hemos tenido que dormirlo, jefe. Ese individuo es más tozudo que una mula y cuando yo intervine ya tenía acogotado a Pedro.

Seguidamente le refirió lo ocurrido.

Rutherford salió al exterior y se paseó por delante de la puerta.

Casi enseguida se oyó el galopar de un caballo que se acercaba.

Pedro Altarriba apareció a caballo por entre unos árboles. Se acercó a Rutherford y a Norton que permaneció tras aquél, y dijo, sin más preámbulos:

—Le ha contado Billy lo sucedido con Buck, ¿no?

—No del todo. Sólo sé que no ha querido aceptar nuestra oferta.

—Así es. Y después de lo que ese individuo ha demostrado saber, creo que es peligroso consentir que se vaya «de rositas».

—Sí —aseveró el banquero—. Martin Buck debe desaparecer. Al idiota de su hermano lo quitaremos de la escena con una denuncia al gobernador del Estado, y unos cuantos chinos preparados para que se pueda comprobar ésta... Pero a este entremetido no le vamos a dar tiempo de arrepentirse de no aceptar lo que le propusimos...

En una transición brusca, continuó:

—Bien. Ahora hay que terminar este asunto. ¿Dónde váis a...?

—En mi despacho, desde luego, no. He pensado que dentro de un carro de heno lo podríamos meter sin que nadie se diera cuenta. Lo trasladamos a este lugar, y con una piedra amarrada a los pies lo tiramos al río. ¿No le parece bien?

—Sí; es un ave viajera, y a nadie le llamaría la atención si desaparece de estos andurriales.

—¿Cuándo lo hacemos?

—Cuanto antes. Creo que debes volver a Calamita, y esta última noche traerlo aquí.

—¿Y si le metiéramos unos gramos de plomo en la sesera?

—No. Si le ocurre igual que a su padre, se podría sospechar de nosotros. No olvides que, posiblemente, en el rancho «Esmeralda» saben que vino a verte a Calamita.

—De acuerdo. Ahora regreso a Calamita... Vamos, Billy; me ayudarás.

Pedro Altarriba subió a su caballo y se dirigió hacia el pueblo, seguido de Billy Norton, que también había aprestado su cabalgadura.

CAPITULO · 6

SERIAN las siete de aquella misma tarde cuando Strutt, seguido de Larreta, Bill y Anselmo, hacían su entrada al trote de sus caballos por la calle principal de Calamita, que era la llamada Jalisco.

Hacia la mitad de ella, frente al Banco Agrícola, Larreta detuvo un solípedo al par que exclamaba:

—¡Oiga Strutt! ¿No es aquél el caballo del patrón?

—¿De Martín?

—¡Claro! ¿De quién va a ser?

Pasaron sus cabalgaduras.

—Efectivamente —dijo Anselmo—, ése es «Saeta».

—Eso nos demuestra que Martín no anda muy lejos de aquí —respondió el capataz—. Hagamos una cosa: dejemos nuestros caballos amarrados a la misma barra que está el suyo, y cuando él venga conocerá por ellos que estamos aquí. Mientras, podemos entrar en aquel bar y beber un whisky que nos eche para abajo el polvo del camino.

Lentamente, la oscuridad se iba apoderando de la tierra.

Cerca de media hora llevaban Strutt y sus acompañantes en el «West-Bar», sin que hubiera aparecido Martín, como ellos esperaban.

Varias veces se había asomado Anselmo a la puerta del establecimiento y siempre regresaba a la mesa, alrededor de la cual habían tomado asiento, con la misma noticia.

—Nada. Me parece que ya va tardando demasiado.

Sin embargo, una de las veces que se acercó al umbral de la puerta, vio algo que le hizo quedar observando lo que sucedía.

Hizo señas a Strutt. Este se levantó y fue hacia el vaquero del rancho «Esmeralda».

—Mira ese tipo, Clinton.

Este miró hacia donde le indicaban y vio un carro cargado de heno, parado frente a los caballos. Pero lo que Anselmo le indicó como cosa rara era que el conductor del vehículo desamarraba de la valla a «Saeta», el equino de Buck, y lo sujetaba tras el carro.

—¡Qué diablos hace ese individuo!

—No sé —le respondió Anselmo—; pero creo que debíamos seguirlos para ver adónde llevan a «Saeta». ¿No crees que eso es mejor que dar la «bronca»?

—Sí; es posible. Avisar a Larreta y vamos tras ellos. Bill Randall que se quede por si apareciera Martin por aquí.

***

Como nuestros lectores habrán pensado, Altarriba y Norton habían regresado de la cabaña. Lo primero que hicieron fue preparar un carro, que ya estaba cargado de heno, en un patio trasero del mismo edificio donde radicaba aquella oficina y en donde quedara maniatado nuestro protagonista. Después lo arrimaron a la pared de la casa, siempre en el patio de la misma, debajo de la ventana que daba luz al despacho del mexicano.

Altarriba sacó a Buck por ella y le deslizó hasta dejarlo caer, ayudado por el otro rufián, sobre las gavillas de heno. Una vez hecho esto se dirigió a la puerta y, saliendo, la cerró tras sí, bajando la escalera.

Mientras, Norton acomodaba el inerte cuerpo entre el pasto y lo cubría con algunos haces. Después se apeó, y cogiendo a un caballo de los que tiraban del vehículo, por el bocado, lo encaminó a la puerta del patio, que daba a un callejón lateral, con salida a la misma calle de Jalisco.

Al desembocar en ella halló al mexicano, que le esperaba.

—Bien, Pedro. ¿Salgo para la cabaña?

—Sí; pero antes recoge el caballo de ese individuo y llévatelo.

—Sí, desde luego. Me lo llevaré amarrado al carro.

—Anda, date prisa. Yo iré hasta la cabaña.

Y así fue por qué Anselmo vio a un individuo que no conocía coger a «Saeta» y amarrarlo tras el vehículo cargado de heno.

Cuando éste llegó a la cabaña, ya estaba esperando hacía unos minutos Pedro Altarriba.

La noche había cerrado y sólo se oía el ruido característico que la nocturnidad despertaba en la selvática zona.

—Ya tardabas —dijo Altarriba a Norton, cuando éste paró el carro en el claro que había entre los árboles, frente a la semiabandonada construcción.

—Pues he tratado de llegar lo antes posible —respondió.

Hizo una pausa. Se acercó al caballo de Martin, lo soltó y lo llevó a un árbol, donde lo dejó sujeto.

—Bueno, vamos al asunto.

Subieron sobre el heno y sacaron el inanimado cuerpo de Buck, dejándolo sobre la tierra, al pie de un corpulento álamo.

Norton sacó el revólver.

—¡Espera! Quiero darle una oportunidad.

—Escuche, Buck —le dijo—. Aún mantengo en pie el ofrecimiento que le hice en mi despacho. ¿Quiere ser de los nuestros?

—¿Y si no acepto?

—¡Pchs!... Comprenderá que no podemos dejarle ir después de... esto.

—Me da un camino que difícilmente puedo dejar de escoger. Pero... supongamos que no quiero aceptar. ¿Es que van a tenerme toda la vida amarrado?

—Sí, Buck. Usted lo ha dicho. Toda la vida... Lo que no ha especificado es el tiempo que le queda de ésta.

Quizá hubiera contestado de acuerdo a los deseos de su interlocutor, para ganar un tiempo que estimaba precioso, pero al lanzar una ojeada sobre el hombro del mexicano vio algo a la luz de la luna que le hizo sonreír.

—Y, ¿en cuántos años cree usted que se puede tasar mi vida?

—Si no se decide, creo que sólo será cuestión de minutos.

—¡Váyase al diablo! Mi vida será muy larga aún. Y otra cosa: todavía no he perdido las esperanzas de chafarle su asquerosa nariz.

—¡Usted lo ha querido! —respondió Altarriba en tono violento—. ¡Vamos, Norton! Ya no te interrumpiré otra vez.

Bill Norton, que había permanecido con el revólver en la mano, lo levantó a la altura de su cadera y se acercó hacia Martin. Sin embargo, sólo pudo dar dos pasos. Una detonación repercutió a través de la noche, y el compañero de Altarriba se detuvo bruscamente. De momento no llegó a comprender lo sucedido, pero cuando notó que las piernas no eran suficientes para contenerlo y que se derrumbaba al suelo, un gesto de sorpresa se dibujó en su cara. Sólo fue eso. El revólver que sostenía quedó en su agarrotada mano, y, sin soltarlo, cayó de bruces a tierra.

—¡Vamos, amigo! ¡No se mueva, si no quiere que le «perjudique» como a su compañero!

De entre los álamos salieron tres hombres que con los revólveres amenazadoramente empuñados avanzaban hacia Altarriba.

—No te preocupes, Martin. Desde que estos coyotes salieron de Calamita, los hemos venido siguiendo. Lo que nunca pensamos era que tú venías dentro del heno —dijo Clinton Strutt, al par que soltaba las ligaduras del joven Buck.

Este se puso en pie y se restregó las muñecas, entumecidas por la presión de las cuerdas.

—Ya hacía rato que veía a Larreta detrás de un álamo.

Se acercó al que estaba caído y lo volvió hasta quedar con la cara fija hacia el cielo, en donde centelleaban miriadas de estrellas.

—Este ya está listo... ¿Fuiste tú? —preguntó al capataz del «Esmeralda».

José Larreta sopló por el cañón del revólver que llevaba en la mano y lo enfundó en un rápido movimiento. Después, sin dejar a Strutt que respondiera a la pregunta de Buck, aclaró él:

—He sido yo, patrón. Este chango rajao iba a disparar, y tuve que «silenciarlo» antes que te «baleara».

—Gracias, Joe. Posiblemente, si no lo haces, sería yo el que estaría cara a los luceros.

—Bueno, pero es la «puritita» verdad que también estarían estos dos, con la «latidora» llena de plomo. ¿Qué hubo...? ¿Lo «difunteo» también?

—No, Larreta. Vamos a dejarlo ir para que avise a su jefe y le diga de parte mía que la próxima vez que pase una persona extraña por los terrenos del rancho «Esmeralda» no volverá a hacerlo en su vida... Y otra cosa —le dijo a Altarriba, acercándose a él y cogiéndole por el chaleco—: Por esta vez escapas bien de mis manos, pero te prometo que la próxima que te cruces ante mí, no avisaré y te meteré seis píldoras de plomo en el estómago, a ver si eres capaz de digerirlas. ¿Entiendes? Ahora, ¡largo!, que no te vea ni un segundo más ante mí.

Y recibiendo un fuerte empujón, que le hizo dar un traspiés, Pedro Altarriba, sin decir una palabra, montó en su caballo y partió hacia Calamita, mascullando sordas imprecaciones y sangrientas amenazas.

CAPITULO · 7

HAN pasado algo más de diez días, desde que ocurrieron los sucesos relatados en el capítulo anterior.

Martin cabalgaba sobre «Saeta». Regresaba del «Barra P.» en compañía de su hermano Arnold.

—Pero ¿por qué esa decisión de marcharte otra vez? —decía éste.

—Escucha, Arnold. Llevo dentro de mi algo que me impulsa a la vida de las dilatadas llanuras. No sé..., quizá sea atavismo de nuestros ascendientes. ¿Has olvidado que nuestros abuelos, que nuestro mismo padre corrió a lomos de su caballo la ruta de Santa Fe? ¿Que hace años que mi vida transcurre inquieta por los pueblos del Far West?

—¿Y si yo te dijera que Mento te quiere?

Martin detuvo su caballo, haciendo igual su hermano.

—Oye, Arnold: ¿qué quieres decir con esto? ¿Cómo diablos lo sabes?

—¡Pchs...! —dijo encogiendo los hombros al mismo tiempo—. Elizabeth me lo ha asegurado... Creo que hablaron de ti, y entre dos mujeres...

—No sé, pero si eso fuera así...

—Escucha, Martin. Sabes que te queremos y deseamos que no te vuelvas a marchar. Si lo decides, cásate. Mira, tú te quedarías en el rancho «Esmeralda» y Elizabeth y yo nos iríamos al rancho de ella, al «Barra P.». Por otro lado, Mento parece una buena muchacha. A nosotros no nos importa lo que pueda haber sido, sólo deseamos tu felicidad, y si ella puede dártela, tienes nuestros brazos abiertos. Sin embargo, eres tú solo el que debe aquilatar los prejuiicios.

—¡Al diablo los prejuicios, Arnold! Si me casara con Mento sería con ella, y no con los prejuicios.

—¡Bravo, Martin! Yo también pienso así. Y ahora vamos, que se echa la noche encima.

Tocaron con las espuelas a los caballos, y sin hablar una sola palabra más, partieron al trote de ellos hacia el rancho que ya se veía próximo.

Cuando pasaron la valla que lo rodeaba, y se apearon ante la casa, vieron a Elizabeth y a Mento que estaban observándoles desde el porche, o corredor cubierto, que rodeaba el edificio.

Mento Bustamante sostenía cariñosamente entre sus brazos al hijo de Elizabeth y de Arnold. Era un pequeño angelote rubio, de algo más de un año, que al ver llegar a los jinetes tendió sus brazos rollizos hacia su padre.

—¡Hola! —exclamó éste—. Siempre dije que desde que el pequeño Martin abrió los ojos, me reconoció como el autor de sus días.

El chiquillo reía a su padre, y éste tomándole en sus brazos, se alejó hacia el interior de la casa.

—¡Qué tonto! —comentó su mujer, al mismo tiempo que le seguía. Mas antes de entrar quedó parada en el umbral de la puerta. Se volvió y dijo a su cuñado—: Oye, Martin: esta chica está empeñada en marcharse. De eso hablábamos cuando habéis llegado. Quiere marcharse pasado mañana. He pensado…, bueno, he pensado que quizá tú pudieras convencerla para que se quedara con nosotros.

—¿De verdad se va? —preguntó Buck a Mento cuando se quedaron solos.

—Sí; pasado mañana regreso a México. Han sido todos muy buenos amigos. Clinton Strutt y su mujer quisieran que me quedara aquí con ellos, pero… no puede ser.

—¿Por qué, Mento? Todos la apreciamos, incluso creo que…, que yo…

Mento lo miró con sus hermosos ojos negros. Movió negativamente la cabeza.

—No siga —dijo—. Mi pasado no es digno de que se mezcle con el presente de personas buenas. Quizá sea el destino que así lo ha rodeado, pero mi sino es otro... No —siguió tras una pequeña pausa—; no puedo quedarme aquí.

—¿No hay nada... ni nadie que pueda decidirle a ello?

Nuevamente la joven movió, lentamente, en sentido negativo, la cabeza.

—No —dijo en un susurro.

—¿Ni pidiéndoselo yo?

Mento Bustamante le volvió la espalda. Quedó mirando hacia las próximas montañas, resaltadas por el reflejo de la luna, que dentro de poco aparecería sobre ellas. Apoyó una mano en la barandilla de madera.

—No —repitió muy bajito.

Martin se acercó a la joven por detrás. Por un momento quedó indeciso. Después, la sujetó por los brazos y la fue volviendo hasta que quedó frente a él con los rostros muy juntos uno de otro.

Buck sintió que la muchacha se estremecía. Vio cómo una lágrima corría por sus mejillas. La atrajo hacia sí y lentamente le repitió:

—¿Ni pidiéndoselo porque... porque te quiero?

—¡Oh Martin! No continúes. ¿No comprendes que...?

No pudo seguir. Sus labios se sintieron aprisionados por los de Buck.

Quedó pasivamente; pero poco a poco fue rodeando el cuello del muchacho con sus brazos, y a fin, le devolvió la caricia.

* * *

A la mañana siguiente, un poco después de amanecer, el equipo del «Esmeralda» se preparaba para salir a las faenas ganaderas en los pastos altos.

Martin hablaba con Clinton Strutt, mientras ajustaba la doble cincha de su caballo.

—¿Es verdad eso, Martin?

—Sí, es verdad.

—¿Te casas...?

—¡Claro!... Oye: ¿qué es lo que estás pensando?

—Nada, Martin. Sólo pienso en que esa chica será capaz de hacerte feliz... y lo que es mejor sujetarte junto a nosotros... Y ahora mismo voy a darle la noticia a mi mujer. Se alegrará mucho.

Strutt fue hacia la parte trasera del rancho donde tenía su casita.

Antes, sin embargo, ordenó a los vaqueros del equipo que ya estaban preparados:

—¡Ea..., muchachos! ¡A caballo, y seguid hacia los pastos altos! Yo iré un poco detrás —luego calló, y terminó diciendo a Buck—: ¿Te esperas o marchas con los muchachos?

—Anda, date prisa. Te espero.

—Y yo también —agregó Larreta.

—¡Tú te vas con ellos! —le repuso Martin.

—¡Oye! No olvides que yo fui contratado para cazar coyotes, no para lazar novillos... Y me espero para ir con vosotros, aunque «to» los «gringos» de América se opongan... ¡Qué hubo, digo yo!

—Este tragatequila es más bruto que un garañón chúcaro...

—¡Qué hubo! —repitió el mexicano—. ¿Me quedo?

—Bueno, hombre, bueno; quédate.

Martin arregló las riendas de su cabalgadura. Subió a ella y se acercó hacia la vivienda de Clinton.

Larreta hizo igual, llevando tras él el caballo del capataz.

Unos minutos después, Strutt salía de su casa y montaba a caballo.

—Bueno... No sabes cómo se ha alegrado mi mujer de la noticia. A pesar de que la chica aún estaba acostada, hemos ido a despertarla y a ser los primeros en darle la enhorabuena.

Larreta escupió despectivamente al suelo, y agregó:

—¡Estos «gringos rajaos»! Si se le ocurriera a alguno ir a despertar a mi novia cuando está en la cama... no sé, pero lo menos que hacía era llenarle de plomo la «latidora».

—¡Oye, idiota! Que fui con mi mujer; que puedo ser su padre, y... que estaba tapada hasta la barbilla, ¿comprendes?

—No, no lo comprendo —y sin agregar una palabra más dio una palmada a su caballo y le hizo avanzar hacia la salida del rancho, al par que murmuraba—: ¡Vamos, «Stuky»; está visto que los hombres de sangre están solo al otro lado del Río Grande!

* * *

Aquel día, el equipo que dirigía Clinton Strutt estuvo muy ocupado en marcar las ternerillas que triscaban la hierba, aquí y allá.

Algo más de las dos de la tarde serían cuando desde donde se encontraban vieron avanzar a un desenfrenado galope a Bill Randall, el compañero de José Larreta, que había quedado por la mañana en el rancho «Esmeralda».

Llegó hasta ellos, y todavía no había frenado el caballo cuando desmontó.

Martin y los que estaban en aquel momento allí, fueron presurosos hacia el recién llegado.

—¿Qué ocurre? —demandó Buck.

—Algo canallesco —respondió Randalla, que aún jadeaba—. El hijo del patrón ha desaparecido.

—¿Cómo dices? ¿Mi sobrino?...

No terminó la frase. Se dirigió a su caballo, que a pocos pasos estaba, con la silla puesta, y de un ágil salto montó sobre él, le espoleó y partió raudo en dirección del rancho «Esmeralda».

Unos segundos después, Clinton, Larreta y Randall le seguían al veloz galope de sus cabalgaduras.

Cuando Martin llegó, había un gran movimiento en el rancho. Arnold se disponía a salir a caballo, seguido de dos peones. Mento Bustamante consolaba a Elizabeth, que sin hablar palabra, pero con una expresión dolorosa en el rostro y unas lágrimas que le rodeaban por las mejillas, contemplaba desde la galería que rodeaba el edificio cómo su marido montaba a caballo.

—Esperaba tu llegada —dijo éste lacónicamente.

—¿Qué ha pasado? —preguntó Martin.

Arnold Buck, sin responder, le entregó un papel arrugado, en el que se veían unas letras escritas con tinta.

Pasó su vista por él:

«Estorba usted en Alamo Negro. Márchese del condado y entonces se le devolverá sin daño alguno el pequeño Martin. Anuncie una subasta de sus tierras como conformidad a lo que le ordenamos. Suponemos preferirá la vida de su hijo a unos acres de tierra que puede adquirir en otro sitio».

Buck arrugó en un gesto de rabiosa impotencia el papel, estrujándolo hecho una bola en sus manos.

—¿Cómo ha sucedido? —preguntó.

—Esta mañana —empezó a explicar Arnold— Elizabeth dejó al niño en nuestra habitación cuando ella se levantó. De cuando en cuando daba una vuelta por allí, pero una de las veces ya no estaba; había desaparecido. Sobre la almohada de su cunita habían clavado con un alfiler el papel que has leído.

—¿Adónde vas ahora?

—Escucha, Martin. Sólo hay una persona que tenga interés en nuestras tierras...

—¿Rutherford?

—Sí, Rutherford.

—Deja esto en mis manos, Arnold. Si ese asqueroso coyote ha tenido algo que ver en este asunto..., ¡por Dios, que ya pueden buscarse en Alamo Negro otro banquero!

Martin hizo una seña a Clinton y a Larreta. Sin una palabra más espoleó a «Saeta», partiendo hacia Alamo Negro, seguido de sus dos amigos.

Sin dejar de galopar, entraron por la calle Mayor del pueblo, levantando a su paso una nube de polvo.

Así continuaron los tres jinetes hasta que Buck, que iba en cabeza, refrenó su cabalgadura ante el despacho del sheriff.

Al ruido de las caballerías se asomó a la puerta Peter Nicholson, el ayudante de Nick O'Neill.

—¡Hola, Martin! ¿Qué te trae con tanta prisa? Sin desmontar, preguntó:

—¿Está Nick?

—No; salió esta madrugada de servicio y no volvió hasta hace un par de horas. En este momento está en la cantina de César, tomando un bocado. ¿Quieres algo?... ¡Eh...! ¿Qué diablo ocurre? —exclamó Nicholson, al ver que los jinetes partían sin responder una palabra en dirección a un callejón en donde estaba la cantina de César.

Martin llegó a la puerta y se apeó del caballo.

—Quedaos aquí —ordenó a sus acompañantes.

Entró y entre la cargada atmósfera, llena de humo, divisó al sheriff.

Se acercó. Sin rodeos, explicó a la autoridad de Alamo Negro lo sucedido.

—Estás equivocado —le respondió—. Lewis Rutherford no ha podido ser el autor de esa sucia jugada.

—No vemos otra persona que tenga tanto interés en el «Esmeralda» como para llegar a lo que ha hecho —dijo Martin.

—Escucha, Buck: si sacáis a subasta esos terrenos acudirán muchos postores, porque tu rancho es de los mejores de por aquí.

—Eso creo yo.

—Entonces, ¿cómo localizar entre todos los que pujen al que ha provocado la subasta? No, Martin, no. Desde luego tienes que descartar a Rutherford, porque... —Nick dijo estas palabras muy lentamente—, porque yo he estado junto a él desde el amanecer hasta hace escasamente dos horas. ¿Dices que cuando se llevaron al niño eran las nueve?

—Sí, aproximadamente.

—Bien; pues a esa hora cabalgamos en busca del rancho «Estacada», para hacerle entrega a su dueño de doce mil dólares que Rutherford personalmente llevaba, custodiado por nosotros.

Martin quedó pensativo.

—Sí, es posible que tengas razón. Esta batalla sólo se puede ganar por la astucia.

Y sin más palabras volvió la espalda a su interlocutor, y salió, dirigiéndose a «Saeta», que estaba junto a los dos caballos montados por Clinton y Larreta.

CAPITULO · 8

CUANDO Martin Buck fue a montar a caballo se le acercó un muchachito de unos diez años.

—Oiga —dijo—. ¿Es usted Buck, el del rancho «Esmeralda»?

—Sí, yo soy.

—Tome, me han dado esto para que se lo entregue a usted personalmente.

El chaval alargó una carta que Martin recogió.

—¿Quién te lo ha dado?

—Sam Taylor. Me dijo que se la diera enseguida que viniera usted o su hermano por Alamo Negro. ¡Me dio un dólar por el encargo!

—¿En dónde está ahora?

—No lo sé. Cuando me dio la carta, hace algo más de tres horas, iba a caballo y partió enseguida para la divisoria. Parece que sus intenciones eran dirigirse a México.

Sacó un reluciente dólar y se lo entregó al chiquillo.

—Toma, Andy —repitió—. Te lo has ganado. Puedes marcharte.

—¡Oh...! ¡Gracias!

Y el chico salió corriendo dando saltos y patadas a las piedras que encontraba por el camino.

—¿Qué hubo, Martin? —preguntó Larreta.

—¿Sobre el niño? —agregó Clinton.

—Sí; ya sé dónde está. Escuchad,

Martin Buck extendió el papel y leyó en voz alta:

«Yo soy una persona que no duda en jugarse la vida ante un enemigo. Pero la sucia maniobra de robar a un recién nacido no entra en mi conciencia de hombre del Oeste. Se lo digo para que sepa que he tratado por todos los medios de impedir este asunto. Como no lo he podido conseguir, tomo mi caballo y desaparezco de Texas. No le digo quiénes son los autores, porque no soy ningún soplón, pero sí le hago saber que el crío se halla bien atendido en una cabaña abandonada que existe cerca de la divisoria, partiendo por el camino que lleva hasta Río Grande del Norte. En la antigua senda ganadera que se inicia desde el cañón del Ahorcado.

»Esto que hago ahora no es inconveniente para que, cuando se cruce en mi camino, le parta su bonita cara.

Sam Taylor.»

Martin soltó una franca carcajada.

—Me has hecho un favor tan grande, que no lo olvidaré nunca, Sam —dijo entre dientes, al par que guardaba el papel.

—¿Qué hacemos patrón?

—¿Que qué hacemos? Está bien claro: ir a buscar al niño.

—¿No será una trampa? —arguyó el viejo capataz.

—Creo que no. De todas formas, trampa o no, ¡al cañón del Ahorcado!

—¿Y si se le dijera al sheriff? —insinuó José Larreta.

—¿Al sheriff? ¿Es que el «rajao» vas a ser tu?

—¡Maldita sea tu asquerosa lengua! ¡Yo te demostraré quiénes son los «changos rajaos» en este asunto! —y sin una palabra más, José Larreta clavó sus espuelas al animal que montaba. Este lanzó un doloroso relincho, y dando un bote que casi desmontó al mexicano, partió raudo en dirección al cañón del Ahorcado.

Cuando llegó a este lugar, José Larreta llevaba una gran ventaja sobre sus compañeros. Sin esperar ni un momento, el mexicano enfiló al antiguo camino ganadero que empezaba en el cañón mencionado y terminaba en un vado del río.

Unas millas llevaba sin cesar de galopar cuando retuvo de un violento tirón de las riendas a su caballo.

Ante él, casi oculta por un grupo de encinas y rodeada de mezquite y chaparral, veíase una vieja cañada de troncos de pinos, por cuya semiderruida chimenea se elevaba una leve columna de humo.

«Bien —se dijo—; yo le voy a demostrar a ese "gringo" del diablo que necesito muchos «malosos» para que puedan conmigo.»

Desmontó.

—Quédate aquí, «Stuky» —dijo a su caballo.

Le dio una palmada en las ancas, y cuando éste se apartó a un lado, entre unas matas en donde empezó a mordisquear, se encaminó con sumo cuidado hacia la cabaña.

Antes, sin embargo, examinó sus revólveres, y con uno de ellos en la mano avanzó.

La tarde ya estaba avanzada y el sol iba ocultándose tras las montañas próximas. Las sombras se alargaban curiosamente.

Echó una mirada por los alrededores, extrañándose de no ver a nadie como centinela.

Se acercó más a la puerta, y fue entonces cuando notó cómo un niño pequeño rompía a llorar.

«¡Inmundos sapos!», se dijo, al par que, tomando impulso se lanzaba como un ariete sobre la puerta.

Esta quedó abierta de par en par y José Larreta, con sus dos 45 en las manos, irrumpió furiosamente en el interior.

—¡Quietos todos! ¡Arriba las manos o, por todos los diablos que...! —se calló de pronto, y mirando a todos los lados se pintó en sus ojos un gesto de sorpresa—. ¡Mamasita! —exclamó, al ver ante él a seis muchachas que se arrinconaron a un lado de la estancia. Todas eran jóvenes, y una de ellas sostenía en sus brazos al hijo de Arnold Buck—. ¡Eh..., tú! ¡Retechula! ¿Quieres decirme qué significa esto?

—Oiga, señor bandido —dijo una de las chicas, con las lágrimas asomándole tras las pestañas—. Nosotras...

—¿Qué «maloso» ni qué bandido? —respondió el mexicano—. Aquí no hay más bandidos que los buitres indecentes que han robado a ese niño... ¡Venga, pronto! ¡Démelo!

La muchacha que lo sostenía en sus brazos se acercó a él. Lo tendió con un temor manifiesto hacia el recién llegado. José Larreta enfundó un revólver y cogió con la mano libre al niño.

Este, como si comprendiera que algo pasaba, había dejado de llorar y miraba con sus ojillos aún mojados por las lágrimas el rostro del mexicano. Mas por poco tiempo, porque nuevamente empezó a lanzar gritos que hizo que Larreta lo mirara alarmado:

—Bueno, mocoso, cállate.

Pero el niño lloraba con más fuerza, y José no sabía qué hacer. Terminó por guardarse el otro revólver. Lo meció cómicamente.

Una de las muchachas que parecía más decidida que las otras se acercó a él:

—Démelo. Yo le haré callar.

Las muchachas, ya más confiadas, fueron acercándose a Larreta. Sin embargo, de pronto, enmudecieron y fijaron sus ojos en la ventana que quedaba a un lado de donde se hallaba el mexicano.

Este se dio cuenta. Dio un salto de costado, y «sacando» rápido, quedó totalmente arrimado a la pared con las armas en la mano.

Podía oírse el latir apresurado de los corazones. Todos habían quedado callados.

José Larreta, en un ágil movimiento, levantó con su pulgar el percutor del arma que sostenía con la derecha.

Las chicas se fueron arrinconando hacia un lado de la cabaña, todo lo más lejos posible de la ventana y del mexicano.

—¡Venga! —exclamó éste, ya con la paciencia agotada—. ¡Si no eres un cobarde «chango», saca tu fea nariz por las ventana, que le voy a hacer un agujero más!

Larreta sintió el clic del percutor del arma del contrario al ser montada.

Con paso felino y elástico se fue acercando a la puerta. Se encogió y se dispuso a salir de un salto al exterior para llevar la lucha a un terreno en el que no peligrara el hijo de Arnold ni las muchachas, que atemorizadas, permanecían en un rincón de la cabaña.

En las venas de Larreta circulaba sangre hispana y la caballerosidad de aquellos antiguos hidalgos que fueron los primeros en llevar la nobleza de España a las tierras de América, se le imponía como una reminiscencia de ellos; y sin mirar el peligro, el mexicano se dispuso a salir sin saber aún cuál o cuáles eran sus enemigos.

* * *

En la mañana del día que se desarrolla lo del secuestro del hijo de Arnold Buck, Lewis Rutherford se hallaba en su despacho del banco.

Por una puertecilla trasera, que daba directamente a su oficina sin pasar por donde estaba un empleado, acababa de entrar Sam Taylor. Le acompañaba Zeeman, el propietario de «El Vaquero Alegre».

—¡Hola, Rutherford! —dijo al entrar.

—Buenos días. Sentaos; tengo que deciros algo.

Los recién llegados tomaron asiento. El banquero sacó una caja y ofreció un habano a sus visitantes.

—Oiga, Zeeman. Prepare lo necesario para pasar a las chicas que están esperando en la cabaña del antiguo camino ganadero.

—¿Adónde van?

—Dos a Tucson, y las otras cuatro al «saloon» de Sierra Blanca... Además, con ellas hay un paquete de «nieve» (1) que Altarriba ha dejado allí mientras termina un asuntillo que le he encomendado.

---

(1) Nieve: cocaína.

—Oiga, Rutherford —intervino Sam Taylor—: ¿No cree usted que el asunto de las muchachas se debía dejar por una temporada?

—¿Tienes miedo?

—No; ya sabe usted que no es eso, pero... la gente sospecha, y ese Buck, Martin Buck, parece que sabe algo, puesto que así se lo dijo a Altarriba en Calamita.

—No tengas cuidado, Sam. Dentro de poco compraremos el rancho «Esmeralda», y entonces las muchachas que traigamos a Texas pasarán por nuestros mismos terrenos.

—¿Aún no se ha convencido de que los Buck no venden? —preguntó Erick Zeeman.

Rutherford se sonrió. Dio un pequeño tirón de su floreado chaleco.

—¿Sabéis dónde está en este momento Pedro Altarriba?... No, claro; no podéis ni pensarlo.

Miró a sus dos visitantes y dio una larga chupada al puro que sostenía en su mano. Luego, continuó:

—Es posible que en estos momentos esté camino de la cabaña donde están las muchachas... Claro que no solo. Si todo ha salido como esperamos, llevará con él al pequeño Martin Buck.

—¿A Martin Buck? —preguntó con un gesto de extrañeza Taylor.

—¡Oh, claro! Tú te confundes. No me refiero al hermano de Anold, no. Se trata de su hijo.

Sam se puso en pie y se acercó a la mesa del banquero.

—Oiga, Rutherford —dijo lentamente—. ¿Quiere decir que ha mandado robar a un niño de pocos meses?

—No emplees esa palabra, Sam. Di mejor que lo he mandado recoger como... bueno, como rehén, ¿comprendes?

—No, Rutherford, no. Este asunto en el que estoy metido ya es lo suficientemente sucio para que no venga a mancharlo más aún con esto del niño. No cuente conmigo. De hombre a hombre, soy el primero en saltar con los revólveres preparados para jugarme la vida, pero...

—¡Un momento, Sam! ¿Quieres decir que desapruebas lo que he ordenado?

—Quiero decir que si mezcláis a criaturas en el negocio, no contéis conmigo para nada. ¿Está claro?

—Está claro que eres un testarudo al que habrá que hacer entrar en razón —respondió secamente el banquero—. Lo hecho ya está hecho. En estos momentos el niño está en nuestro poder.

—Bien, pues en ese caso me mantengo en lo dicho. Hay dos cosas que no haré en mi vida por todo el oro del mundo: matar a una mujer y maltratar a un niño. Rutherford, me voy.

—No puedes hacerlo, Sam. Estás mezclado en todo esto, y te costaría la vida traicionarme.

—No le traiciono, pero tampoco soy un secuestraniños... Adiós, Rutherford.

Y Sam Taylor, sin agregar una sola palabra a lo dicho, salió del despacho por donde había entrado.

Entró en «El Vaquero Alegre». Deambuló más tarde por algunos garitos de Alamo Negro, y su conciencia, aún no adormecida del todo por la maldad, le fue dictando la norma a seguir en aquel asunto. De resultas de eso, fue por lo que antes de decidirse a abandonar los Estados Unidos e internarse en México, escribió aquella carta que le fue entregada a Martin Buck, y por la cual fue posible llegar hasta la cabaña en donde lo halló José Larreta.

Cuando Sam Taylor salió del despacho del banquero, éste se puso en pie y se paseó por el estrecho recinto.

—¡Este cobarde traidor...! —masculló entre dientes—. Me he quedado con ganas de agujerearle la piel.

—No es eso tan fácil, Rutherford. Sam Taylor es un consumado «gun-man». Además, usted siempre va desarmado.

—Así es; creo que estoy más defendido si no llevo un arma encima, pero... eso no importa para que haya tenido unos locos deseos de meterle unos gramos de plomo en el corazón —hizo una pausa. Añadió en una transición—: Cuando venga Altarriba a comunicarme que el asunto está hecho, quiero que vayas con él a la cabaña y te traigas el paquete de «nieve».

—Bien; ¿cuándo estará aquí?

—Esta tarde. Ya te mandaré aviso para que te prepares. Ahora, adiós.

Unas horas después, Pedro Altarriba y Erick Zeeman cabalgaban por el camino que conducía desde Alamo Negro hasta el cañón del Ahorcado. Al llegar allí enfilaron el antiguo camino ganadero, en donde estaba la cabaña que servía de momentáneo refugio a las muchachas que pasaban clandestinamente la frontera.

—Sí —decía Altarriba a su acompañante—; les dije a las chicas que el crío era de una mujer, que estaba donde iban ellas. No sé si lo creyeron o no, pero lo cierto es que se han quedado cuidándolo... Esto del niño es un engorro, y menos mal que teníamos esas mujeres ahí.

—Eso creo yo —dijo Zeeman—; ya veremos cómo salimos de este asunto. Bien —agregó, señalando hacia la cabaña que ya se divisaba entre los árboles—. Hemos llegado. Recogeré la «nieve» y partiremos en seguida.

—Eso es..., pero... ¿qué es eso? —preguntó Altarriba, señalando un caballo que se veía cerca de la construcción de madera.

—¿Eso...? Pues está bien claro: un caballo.

—Sí, un caballo. Mas... ¿de quién?

—¿Cómo? ¿Quieres decir que no sabes de quién es? —preguntó alarmado, al par que paraba su cabalgadura.

—Exacto —respondió su compañero.

Se apearon de los caballos y con la mano en la culata del revólver se acercó Altarriba, seguido de Erick Zeeman, a la ventana de la cabaña para mirar al interior.

En aquel entonces lo vieron las muchachas, y con sus actitudes pusieron en aviso a José Larreta.

Altarriba montó el percutor de su revólver, que fue sentido por el que estaba en el interior.

Fue en ese momento cuando el mexicano Larreta, sin medir el peligro, se dispuso a salir de la cabaña y presentar la lucha al descubierto.

CAPITULO·9

ERICK Zeeman aprestó su revólver, y a una indicación de su compañero, fue rodeando la construcción de madera, para poder atacar desde dos puntos diferentes.

Pedro Altarriba quedó frente a la puerta de la cabaña.

Larreta salió en aquel momento y tirándose al suelo, tras un desfondado barril que había junto a la puerta, disparó el arma en dirección a donde se había refugiado su contrario y que él avisó fugazmente en el momento de salir.

—¡Cochino «chango»! ¡Asesino de «chamacos» infantiles! —gritaba el mexicano, al par que daba gusto al dedo—. ¡Sal que te vea la «jeta», que quiero adornártela con plomo!

Altarriba no respondió. Contaba los disparos que el otro hacía, y al mismo tiempo miraba hacia donde suponía había de aparecer Zeeman.

A su alrededor la tierra se levantaba a impulso de los impactos de su contrario.

Cuando Larreta apretó por última vez el gatillo de su revólver y el percutor cayó con un chasquido seco y metálico, Pedro se sonrió al sentirlo. Se fue levantando poco a poco y asomó la cabeza con precaución.

Una maldición del mexicano le hizo comprender efectivamente, como él suponía, se le habían agotado las municiones de los revólveres que contra él disparaba.

Al mismo tiempo Erick Zeeman fue acercándose a una esquina de la cabaña. La rodeó lentamente, y pudo ver a José Larreta que trataba de cargar nuevamente los «45».

Pero en ese mismo instante, cuando se disponía a disparar a tiro seguro por la espalda, vio a dos jinetes, que revólver en mano, irrumpían al galope de sus caballos en la pequeña explanada formada ante la construcción.

Altarriba, que también se había dado cuenta, se lanzó corriendo sobre el que le hacía frente tras el barril, dispuesto a terminar con ese enemigo. Pero no contó con que José Larreta era más peligroso con los cuchillos que con las armas de fuego.

Efectivamente: un destello plateado partió zumbando de su contrario y se apagó, con el sonido característico de la carne al ser herida, al clavarse en su pecho.

Zeeman, cuando vio llegar y reconoció a Martin y a Clinton, se ocultó tras la cabaña, y poco a poco fue alejándose de ella, hasta llegar a donde habían dejado los caballos momentos antes. Montó en el suyo, y antes que se dieran cuenta se lanzó a un galope desenfrenado por el camino que había traído.

—¡Llegamos a tiempo, viejo! —dijo Martin, apeándose de su cabalgadura.

—Llegasteis a tiempo para ver cómo «difunteaba» a este coyote —dijo Larreta.

—¡Caramba! —exclamó Buck al acercarse y reconocer al caído—. ¡Si es un viejo conocido!

El mexicano también se acercó. Había vuelto a cargar su revólver.

—¡Eh! ¿Qué demonios intentas? —preguntó Martin al ver que éste apuntaba al caído y levantando con el pulgar el percutor se disponía a disparar a boca de jarro.

—¿No ves que aún mueve las patas? —le respondió—. Voy a «silenciarlo», para siempre.

—Eres una mula, Larreta. Pero si llegas a hacerlo, te juro que te llevaré dándote latigazos hasta Alamo Negro.

—Pero...

Buck, sin responderle, se acercó más al herido y comprobó que respiraba muy dificultosamente. Le sacó con precaución el ancho cuchillo mexicano. Una gran cantidad de sangre se extendió por su pecho. La respiración era silbante. Estaba en las últimas.

—Vamos, Altarriba —dijo, al mismo tiempo que le sostenía la cabeza con sus brazos—. Le quedan pocos minutos de vida. La justicia de los hombres ya no le puede perseguir. Si tiene un resto de conciencia dígame quién le paga.

Jadeando le respondió trabajosamente.

—Zee... man. El mató a... Prescott. Tam... también a... su... pa... dre.

—¿Zeeman? ¿Erick Zeeman mató a mi padre?

Altarriba movió la cabeza en sentido afirmativo.

—¿El es el jefe de este asunto?

—No —respondió cada vez más trabajosamente—. El jefe... es... Le...

No pudo continuar. Por la comisura de sus labios se deslizó un hilillo de sangre, y doblando la cabeza quedó muerto en los mismos brazos de Martin Buck.

—Está muerto —dijo Clinton Strutt al joven, al ver que éste lo movía intentando que dijera una cosa que ya no podía, porque la Gran Igualadora había sellado sus labios.

—Es verdad —respondió Martin soltándolo. Luego, recordando por lo que habían venido hasta allí, preguntó al mexicano:

—¿Y el niño? ¿Está bien?

—«Mesmamente» bien —respondió—. Sígueme y verás cómo está cuidado.

Los tres se acercaron a la cabaña y penetraron en su interior.

La que sostenía al niño en sus brazos se acercó.

—Nosotras no tenemos nada que ver en esto... Pedro Altarriba nos dijo que su madre estaba donde nosotras íbamos, y que cuidara de él... Si no lo cree, puede preguntárselo a él mismo.

—Si Altarriba está «cotorreando» en algún sitio, será en el

infierno con su compadre Belcebú —respondió Larreta.

—¡Calla, José! —le ordenó Buck—. Yo creo lo que estas muchachas dicen, y ahora mismo recoges al niño y te lo llevas al «Esmeralda» Clinton te acompañará. Yo tengo que hacer algo en Alamo Negro.

—Pero no irás sin mí. Me huelo que en Alamo Negro se va a correr la pólvora.

—Tú haces lo que te digo, porque el asesinato de mi padre lo he de vengar yo. Además, cuidar del crío es también necesario. Os lo encomiendo a los dos.

—Pero... ¿no comprendes que yo no fui nunca niñera?

—Bueno; aviate como puedas, pero el crío lo habéis de llevar vosotros. Ahora, hasta luego.

Y Martin Buck salió de la cabaña. Subió a «Saeta» y galopó por el mismo camino que había tomado Erick Zeeman, el propietario de «El Vaquero Alegre».

Llegó al pueblo unos quince minutos después que él. Se apeó ante el «saloon», dejando su caballo atado a la valla que había para el servicio de los asistentes al local.

Se aseguró que los revólveres salían fácilmente de sus fundas, y sin precipitaciones, con parsimoniosa serenidad, subió los cuatro escalones que le llevaban a las dos medias puertas que daban acceso a la bulliciosa sala de baile y bebidas.

Oteó por sobre las cabezas de los allí reunidos, pero no pudo localizar a Erick Zeeman. Se fue acercando al mostrador.

—Sírveme un whisky —pidió al barman. A continuación agregó—: ¿Y Erick?

—¿El patrón?

—Claro, Erick Zeeman.

—Está arriba. Lleva toda la tarde allí arreglando unas cuentas del establecimiento.

—Llámalo; quiero hablar con él.

El camarero, que había recibido órdenes de su jefe cuando éste llegó a uña de caballo de la cabaña en donde había perdido la vida Altarriba, hizo un encogimiento de hombros y agregó:

—No creo que le guste mucho si le molestan cuando trabaja... Pero si tienes interés en hablarle, sube y llámalo tú mismo.

—No; lo que tengo que decirle ha de ser ante todas estas personas. Además, es un asunto que es de mucha importancia para él.

Zeeman, que suponía, como así era, que los que atacaron a Pedro Altarriba no le habían visto, había notado la llegada de Martin y le observaba desde el descansillo de una escalera que llevaba al único piso, en donde estaban los reservados y también la oficina de él.

—¡Hola, Martin! —exclamó al mismo tiempo que bajaba la escalera—. Parece que tienes mucho interés en verme, ¿no?

—Sí, Erick —dijo Martin—. Voy a decirte lo que quiero. Voy a decirte muy alto —repitió—, para que todos se enteren, que eres un miserable asesino, y vengo a matarte.

Zeeman envaró su cuerpo y acercó peligrosamente sus manos a las culatas de los revólveres.

—No; no tengas miedo que te asesine como tú hiciste con mi padre y con John Prescott. Aunque no lo mereces, voy a darte la oportunidad de que defiendas tu vida.

—¿Qué tonterías estás diciendo? ¿Que yo maté a tu padre y a Prescott?

—Escucha, Zeeman —arguyó Martin, pensando un plan—. He venido dispuesto a matarte, y no hay nada ni nadie en el mundo que pueda evitarlo. Pero para convencerte de que estoy enterado de todo, voy a demostrártelo con tu cómplice que ha cantado todo lo que sabía.

—¡Yo no tengo ningún cómplice!

—Sí; y ahora mismo traerán a Pedro Altarriba, que te ha acusado con todo detalle ante el sheriff —dijo Martin, que quiso ver si con esa mentira, puesto que como sabemos, Altarriba había muerto, obligaba a descubrirse al asesino de su padre.

Efectivamente, Erick Zeeman quedó demudado, y, dando dos o tres pasos atrás, exclamó:

—¿Que ese perro nos ha traicionado...? ¡Maldita sea su alma!

—Erick —dijo lentamente Martin—: te debía matar como a un coyote rabioso, pero quiero darte una oportunidad. ¡Vamos, saca tu revólver!

Zeeman estaba a unos cuatro pasos de su enemigo. Tenía a su derecha el mostrador. Buck apoyaba su mano izquierda sobre el mismo.

—Si te empeñas en matarme, inténtalo... Ahora que no me iré al otro barrio sin beber un trago de whisky.

Al decir eso, Zeeman cogió un vaso lleno de dicha bebida que estaba en el mostrador junto con otros. Se lo pasó a la mano izquierda y se lo llevó a los labios. Mas de pronto, sin que nadie presumiera lo que iba a ocurrir, lanzó el contenido del vaso al rostro de su contrincante, al mismo tiempo que su mano derecha bajaba rápidamente y sacaba su revólver.

Dos detonaciones sonaron simultáneas, confundiéndose en una sola.

Martin que estaba alerta, con los nervios en tensión, había esquivado, en parte, el líquido que le arrojara Erick. Dio un salto de costado, y aún no había puesto los dos pies en el suelo cuando sintió como una quemadura en el hombro izquierdo. Sin embargo, casi simultáneo, vio caer a su enemigo con un feo agujero en la frente.

Era que Martin al mismo tiempo que saltaba hacia un lado —y eso le salvó la vida— había disparado su revólver, sin sacarlo de la funda, aunque una fracción de segundo después que su contrincante.

Erick Zeeman se apoyó sobre el mostrador. La sangre que manaba de su frente cayó por unos segundos sobre un vaso, y el líquido que contenía se tiñó en tonos rojizos. Aún conservó el revólver en sus manos. Mas poco a poco fue aflojando los dedos, y el arma se deslizó al suelo.

Erick cayó de rodillas y, como rebelándose a la muerte que ya se apoderaba de él, fue doblándose lentamente. Al fin quedó tendido en el suelo, aunque en una grotesca postura, pues sus piernas quedaron dobladas bajo su cuerpo. Había muerto.

Martin se sujetó el brazo izquierdo, por el que le corría la sangre empapándole la manga de la camisa. Lanzó una mirada sobre los asistentes a la tragedia.

—He vengado a mi padre y a John Prescott —dijo.

Y sin agregar una sola palabra más volvió la espalda y se dirigió a la puerta.

Unos segundos después, montando su caballo, cruzaba las últimas casas de Alamo Negro y galopaba por el camino que le llevaba hasta el rancho «Esmeralda».

* * *

En los días que siguieron a la muerte de Erick Zeeman y Pedro Altarriba, la vida en el rancho de los dos hermanos había tomado la marcha corriente propia de un negocio de aquel tipo.

Nick O'Neill, el sheriff de Alamo Negro, había sido puesto en antecedentes de todo lo ocurrido.

El personalmente había ido a la cabaña del antiguo camino ganadero y había interrogado a las muchachas. Nada pudo sacar en claro, porque ellas sólo conocían a Pedro Altarriba que era el que las había traído desde México. También encontró un grueso paquete que contenía cocacína y opio. A su vista, Nick comprendió que el asunto era algo más serio de lo que en un principio pensó.

Las muchachas fueron devueltas a México y poco a poco se fue olvidando lo sucedido.

Diez días después de todo lo relacionado anteriormente, Mento Bustamante y Martin charlaban de íntimas cosas, haciendo proyectos de una futura, pero próxima vida de casados.

Anselmo les ensillaba dos caballos, pues los jóvenes iban al pueblo. Estaban haciendo los preparativos para su boda, e iban a encargar al almacén de Alamo Negro varias cosas que necesitaban y que por olvido no habían encargado a Austin cuando mandaron comprar parte de lo que iba a ornamentar su futuro hogar.

Montaron a caballo. Partieron muy juntos, al trote de ellos, y desaparecieron por un recodo del camino, no sin antes agitar la muchacha su mano al aire, en señal de despedida a Elizabeth Buck, que acodada sobre la barandilla que rodeaba el rancho los veía partir con una sonrisa en los labios.

Arnold se acercó a su mujer.

—Creo que serán felices, ¿verdad? —expuso ésta.

—Sí. En el tiempo que lleva aquí ha demostrado ser una muchacha digna de una suerte mejor que las circunstancias hacían llevara.

—No la creo capaz de engañarnos. De mujer a mujer, me dijo que, a pesar de su vida, siempre se conservó pura entre el lodazal en que estaba metida. Y eso que la chica es bonita.

—¡Bah!... No pensemos más en eso. Mento es muy bonita, y si sus ojos son grandes y negros, mi muñequita los tiene verdes, como la inmensidad de estos campos que nos rodean. Y si su pelo es negro, el tuyo es dorado como el rubio trigo que nos da la harina. Y si...

—¡Eh! Pero ¿qué te pasa? —le atajó su mujer, riendo—. Vas a hacerme creer, siguiendo así, que estás enamorado de verdad de mi personilla.

Arnold no le contestó, pero abrazando a su mujer la besó en los labios, en los ojos, y nuevamente unió sus labios con los de su esposa, en un largo y profundo beso.

Larreta y Clinton Strutt estaban no muy lejos de donde se hallaba el matrimonio, aunque éste no se había dado cuenta de la proximidad de ambos.

—¡Uf!... —exclamó el mexicano—. ¡Esto está poniéndose «mesmamente» insoportable! Por todos los sitios que vas, no encuentras más que parejas «cotorreando» y dándose el pico. Claro es —siguió, con un picaresco guiño— que la patrona está «retechula».

—¡Calla, idiota! —le apostrofó el capataz—. Lo que vamos a hacer ahora mismo es marcharnos donde no veamos lo que no nos importa. ¿Estamos?

El galopar de un caballo hizo que tanto ellos como el matrimonio miraran hacia el lugar por donde llegaba éste.

Un jinete refrenó su cabalgadura junto a la calla de madera que cerraba la entrada al patio que se extendía ante el rancho.

Arnold Buck, así como su esposa, Larreta y Clinton Strutt, se acercaron al recién llegado.

—¡Buenas tardes! —dijo éste.

—¡Hola, Perking! —respondió Arnold, reconociendo en el jinete a un dependiente del banco de Alamo Negro—. ¿Qué te trae por aquí?

—Poca cosa, míster Buck. El señor Rutherford me envía para rogarle que vaya usted al banco lo antes posible.

—¿Yo? Y ¿qué quiere su patrón?

—No sé. Sólo me dijo, insistiendo mucho, que le repitiera que le espera dentro de un par de horas. Que es un asunto importantísimo para usted, y que no deje de ir.

Arnold miró a su esposa; después, a su capataz.

—Bien —dijo—. Si es tan importante, creo que debo ir. ¿No te parece? —preguntó a su esposa.

—Por mi gusto no irías —repuso ésta—. Es una persona que me causa pavor. No sé..., pero cuando le veo siendo por mi piel un estremecimiento, como cuando se cruza ante el camino de mi caballo una serpiente de cascabel. Sin embargo, si lo crees necesario...

Arnold acarició la rubia cabellera de su mujer.

—No te preocupes. Creo que debo ir —hizo una pausa, y luego siguió, dirigiéndose al mensajero—. Oiga, Perking: dígale a Rutherford que iré por su despacho lo antes posible.

—Se lo diré, míster Buck.

—¿Quiere apearse y tomar alguna cosa?

—No, gracias. He de regresar inmediatamente. Buenas tardes a todos. Adiós.

Fue así como el destino iba tejiendo la malla en la que quedaría enredado Lewis Rutherford.

Serían las cinco de la tarde cuando Martin Buck y su prometida Sacramento Bustamante se disponían a regresar al rancho «Esmeralda».

—¡Caramba! —exclamó Martin al ver a un jinete, que reconoció, que doblaba por la callejuela que había a un costado del banco—. ¿Qué diablo irá a hacer Arnold en Alamo Negro? No me dijo que iba a venir... Espera un momento —dijo a Mento después de un instante de indecisión.

Martin dejó a ésta junto a los caballos y se fue en dirección a donde había visto a su hermano. Pasó antes la puerta principal del banco y la vio cerrada. Dobló la esquina del callejón lateral y pudo ver el caballo de su hermano ante una pequeña puerta que estaba entreabierta. Era la puertecilla trasera que daba a la oficina de Lewis Rutherford.

Quedó sin saber qué hacer. Sin embargo, fue acercándose a la entrada y pudo oír las voces del banquero y su hermano, que discutían en el interior del despacho. Quedó escuchando.

—Si me ha llamado para eso —decía Arnold—, ha perdido su tiempo y me lo ha hecho perder a mí. Le he dicho mil veces que el «Esmeralda» no está en venta.

—No sea usted terco. Siéntese y escuche con calma lo que voy a decirle.

—Bien, sea breve.

—Usted sabe —empezó Rutherford— que si se descubriera que usted ha pasado orientales de contrabando...

—¿Cómo sabe eso? —exclamó Arnold, poniéndose nuevamente en pie.

—La forma, no importa. Lo cierto es que lo sé... Ahora bien; como le decía, si se descubriera ese asunto, usted no lo pasaría bien del todo... Posiblemente sus tierras fueran sacadas a subasta... Quizá ocurriera algo más grave..., quién sabe. ¡Pueden ocurrir tantas cosas...! Mire, lea esto.

Rutherford alargó un papel a su interlocutor. Este lo recogió y pasó su vista por él.

—No lo comprendo del todo, pero esto tiene todas las tramas de una canallada muy grande —dijo Arnold.

—¡Pchs...! No sé quién dijo que, en la guerra, como en el amor, todas las cosas son válidas... Vea, voy a explicarle el significado de ese papelito: como usted ha podido leer, el gobernador del estado me anuncia la llegada de un enviado especial para que yo le explique mis sospechas sobre quiénes son los que trafican en la trata de blancas y en el contrabando de drogas y chinos. De los dos primeros aspectos del asunto, poco puedo decir... En cuanto al último, sí sé lo suficiente para que usted no lo pase muy bien.

Arnold Buck se acercó a la mesa tras la cual se hallaba sentado su interlocutor. Puso sus manos sobre la misma y le escupió despectivamente:

—Siempre creí que era usted un bicho asqueroso, pero nunca que llegaría a ese punto. Si es esto todo lo que quería decirme...

—Un momento, Buck. Tenga calma. Verdaderamente es desagradable tener que oír lo que quiero decirle, pero si es usted una persona sensata me escuchará. Yo, por mi parte, voy a poner las cartas boca arriba.

—Termine pronto. Pero sea breve, porque no sé si tendré paciencia para terminar de oírle.

—Bien. Voy a serle franco —comenzó Rutherford—. Yo soy el jefe de los contrabandistas que operan por este lado de la divisoria... Claro es que esto que le cuento no tiene ningún valor para usted, porque no me puede probar nada y se tomaría como una burda venganza por su parte. ¿Comprende ahora por qué quiero un rancho suyo? En él pueden operar mis gentes con toda tranquilidad. Usted tiene dos, y yo le pago por uno mucho más de lo que vale. ¿Por qué no se deshace del «Barra P.»

—«El Barra P.» es de mi esposa.

—Es lo mismo. Como le digo, usted tiene dos ranchos situados en un punto que a mí me interesa mucho. Véndame uno de ellos. Le pago más del valor que tiene... No sea tozudo, porque si no lo hace por las buenas...

—¿Qué ocurriría? —le interrumpió su interlocutor.

Rutherford, sin responder, siguió:

—Yo le obligaría a ello. Por lo pronto, cuando el enviado especial del gobernador del estado llegue, le contaré ciertas cosas que yo sé y que usted no puede desvirtuar, porque sé dónde están los chinos que pasaron por sus tierras.

—¡Eso no es cierto! —exclamó Buck, con las facciones pálidas por la ira.

—Lo es, y sabe bien que no puede desvirtuarlo. Supóngase por un momento que...

—¡Sí, sí, ya lo sé! —dijo, interrumpiéndose, el banquero, al ver un gesto de su interlocutor—. Ya sé que usted lo negará, pero... ¿y si se prueba lo contrario? No olvide que posiblemente se quedaría sin el «Esmeralda»... Claro es, eso si los muchachos no quieren divertirse un rato y le cuelgan de la rama más fuerte de cualquier álamo.

Hizo una larga pausa. Arnold Buck temblaba del odio que le hacía sentir aquel ser tan despreciable.

—¡Pchs...! —continuó Rutherford, encogiendo los hombros—. Quizá eso sería lo mejor para otras personas... Usted colgado de un árbol, y así quedaría su hermano libre para poder llegar hasta su novia..., que usted le quitó.

Martin no quiso sentir más. Dio un empujón a la puerta y entró decidido a castigar a aquel miserable. Pero aún no había transpuesto el umbral, cuando sonaron seis detonaciones seguidas en el interior del despacho del banquero.

Apresuró el paso. Entró, y ante él vio a su hermano con un revólver en la mano, que aún humeaba.

—¡Pronto, Arnold! ¿Qué ha pasado?

—Era una culebra, y le he tenido que pisar la cabeza para que no hiciera daño —respondió lentamente.

—¡Arnold! ¿No te das cuenta? Rutherford, siempre iba desarmado. Dirán que ha sido un asesinato... ¡Trae pronto!

Martin, al decir esto, sacó su revólver y lo metió en la funda del de su hermano. Luego recogió el de éste. Lo agarró por un brazo.

—¡Vamos, Arnold! ¡Marcha al «Esmeralda»! Mento está ante el «Store-General»; llévatela.

—Pero...

—¡No hay «peros»! Mientras se arreglan las cosas, yo debo ser el que salga para la divisoria.

—No lo consentiré...

—No seas estúpido. Tienes una mujer y un hijo. Yo marcharé a Calamita. Al fin y al cabo, ya salí así una vez del pueblo. ¡Vamos, no te demores!

Y arrastrando a su hermano hacia la puerta lo hizo salir, no sin encargarle antes:

—¡Llévate a Mento y cuida de ella!

Mientras tanto, Martin echó una ojeada por todo el despacho del banquero, por si había algo que comprometiese a su hermano.

Se enfundó el revólver que había cambiado por el suyo.

Abrió la puerta, y disponíase a marchar cuando la voz de Nick O'Neill, que apareció encuadrado por el marco de ella, le hizo comprender la realidad del momento.

—¡No te muevas, Martin! —le ordenó, al par que apoyaba su orden con el arma que sostenía firmemente en su mano derecha—. ¿Qué ha pasado aquí?

Buck no contestó. Se limitó a levantar los brazos y retroceder lentamente unos pasos.

El sheriff se acercó a la mesa sobre la que yacía caído de bruces aquel que fue el banquero de Alamo Negro. Lo agarró por un brazo y lo incorporó suavemente. En su floreado chaleco podían verse unas rojas flores causadas por la sangre.

—Está muerto —dijo; luego continuó—: Dime, Buck: ¿lo has matado tú?

El muchacho no contestó. Se limitó a mover la cabeza en una señal afirmativa.

—¿Y su revólver? Sentimos seis detonaciones.

—No se moleste, sheriff —dijo uno de los que entraron con él. Lewis Rutherford nunca llevaba un arma encima. Si ha oído seis tiros, con seguridad que proceden del mismo «cañoncito».

—Trae tu revólver, Martin.

Sacó el cilindro de uno, que era un «Colt» de percusión simple, y comprobó que tenía todos sus proyectiles. El otro, en cambio, un «Smith & Wesson» de cañón basculante, tenía todas las balas disparadas. Se llevó el cañón a la nariz y lo olió. Aún persistía el olor acre de la pólvora.

—Mal asunto, muchacho —dijo—. Has disparado sobre un hombre que estaba desarmado... ¿Por qué?

Martin Buck recordó las palabras de su hermano y las repitió lentamente:

—Era una culebra, y le he pisado la cabeza para que no haga daño.

—Era una persona desarmada, y esto en el oeste sólo tiene un nombre: asesinato. Lo siento, Martin, pero debo detenerte.

Mientras tanto, a la puerta trasera del banco, se habían ido congregando algunos vaqueros y los desocupados del pueblo.

El sheriff se colocó a un lado del detenido, y Nicholson al otro, ambos con las armas en las manos.

Atravesaron por entre el levantisco grupo. Cruzaron por la calle Mayor y, llegando a la plaza de Alamo Negro, entraron en el despacho del sheriff.

—Bien, Martin —dijo O'Neill, una vez hubo cerrado la puerta—. Soy tu amigo y quiero ayudarte. Dime: ¿qué ha pasado entre tú y él?

—No me preguntes, Nick. Lo único que te puedo decir, es que Rutherford era un canalla y merecía la muerte.

Martin Buck se encontró dentro de una pequeña celda. Se sentó sobre un camastro y quedó pensativo.

El sheriff cerró la puerta de ésta y volvió a marcharse al par que le decía:

—Recapacita, Martin. Es un asunto muy feo y debes de decir todo lo que ha ocurrido. Quizá con ello logres escapar algo mejor en este negocio.

* * *

Pasaron unos días, Arnold visitó a su hermano, y a duras penas consiguió éste que callara lo sucedido.

—No, Arnold —dijo Martin—; lo hecho ya está hecho. El que tú dijeras la verdad no solucionaría nada. Creo que debes pensar en Elizabeth y en tu hijo. Es curioso —siguió—, casi me alegro de todo, porque en lo más íntimo de mi alma encuentro una satisfacción de que yo puedo contribuir a la felicidad de tu mujer... No lo tomes a mal, para mí Elizabeth no significa otra cosa que una hermana querida, ¿comprendes?

—Claro, Martin. Pero yo no puedo dejarte en la estacada.

Martin se acercó más a su hermano y le dijo en voz baja:

—Escucha; si este asunto se pusiera feo, yo tengo que salir de aquí, sea como sea.

—Natural, cuenta conmigo.

—Tú no has de intervenir para nada en este asunto. Si me tienen que sacar de este lugar en forma violenta, en la misma hora que eso ocurra, tú te has de hacer visible en otro lugar para que no te compliquen a ti la vida, ¿comprendes?

—Pero Martín. Te debo algo más que la vida... tu acción...

—No seas testarudo, Arnold. Yo te voy a decir qué es lo que tienes que hacer. Si me condenan, te marchas inmediatamente a Calamita, en México, con Mento. Allí me esperáis. Para yo ser feliz con ella, es lo mismo que esté aquí que en el otro lado de la divisoria. En cambio, tú tienes un hogar formado en el viejo rancho «Esmeralda», una mujer en él, y un hijo que algún día seguirá los pasos de su abuelo y de su padre, ¿comprendes, Arnold? Si fueras tú el que escapara, todo eso se vendría abajo. No dudes más. Tu misión, si me condenan, es llevarte a Mento a México y esperar que yo llegue allí... Con Larreta, Clinton y unos buenos amigos hay suficiente para sacarme de aquí y eludir el castigo que quieran ponerme.

—Bien, hermano. Por lo menos pondremos todo lo que de nuestra parte esté para que las cosas salgan como queremos.

—No lo olvidaré. Adiós.

Y dándole un fuerte abrazo, Arnold Buck salió de la celda, que fue cerrada tras él por Nicholson, el ayudante del sheriff de Alamo Negro.

EPILOGO

AL llegar a este punto, Martin Buck, el condenado a ser ahorcado hasta que muriera, quedó en silencio.

Nick O'Neill le miró y le dijo suavemente:

—Es curioso, Martin. Me has contado cosas que pueden perjudicarte en gran manera... Incluso me has dicho que piensas escaparte de aquí... Es curioso —repitió—: y sin embargo, casi me alegraría que te saliera bien todo. Tienes razón, Lewis Rutherford era un cochino coyote que debía de morir, pero... ¿por qué no contaste todo eso ante el jurado?

—No, Nick. Cuando cambié mi revólver con el de mi hermano, tomé sobre mí toda la responsabilidad del asunto. Arnold debe quedar al margen de todo esto. ¿No comprendes que podrían creer que lo maté por temor a que hablara? No, lo que hice está bien hecho.

—Es posible que lleves razón —le respondió el sheriff—. Mas, si te das cuenta comprenderás que al contarme lo que me has relatado, te has cerrado el único camino que tenías para escapar a... lo de mañana.

—¿Por qué?

—Porque tomaré las medidas necesarias para que la ley se cumpla.

—¡Bah, Nick! Tú no conoces a José Larreta. Si ese mono mexicano se empeña en arrancarme de las manos de esa ley de que tanto hablas, ten la seguridad que lo hará.

—Costará sangre, Martin.

—Es posible que sí, pero si recapacitas un poco comprenderás que no hay otra solución en lo que a mí respecta.

Quedó callado por unos segundos. Sacó un paquete de tabaco y un papel de fumar. Lió un cigarrillo.

—¿Quieres liar uno? —ofreció a su interlocutor.

—No, gracias.

—Bien, al menos dame fuego.

O'Neill sacó unos fósforos de cartón y encendió uno frotándolo sobre la suela de sus recias botas. Se lo entregó a través de los barrotes.

—Gracias, Nick.

—Escucha, Martin, ¿sabes lo que voy a hacer?

—Tengo curiosidad por saberlo. Tú dirás.

—Voy a suspender la ejecución.

—Me alegro por mí, de verdad. Pero estoy pensando si tus atribuciones llegan a tanto. ¿Qué alegarás para ello?

—Es fácil. Voy ahora mismo a contarle al juez lo que tú acabas de relatar.

Martin sacó los brazos por entre los barrotes. Agarró al sheriff por el chaleco y lo atrajo hacia sí, violentamente.

—¡Maldita sea tu estampa, Nick! ¡Si eres capaz de hacer eso te mataré! ¡Te ahogaré poco a poco con mis propias manos!

Hizo una pausa. Dio un empellón a la autoridad de Alamo Negro que, dando un traspiés, casi cayó de bruces.

—¡Idiota! —dijo O'Neill una vez recobró el equilibrio—. Trato de salvarte porque mereces que se haga lo posible para ello. Pero si te empeñas en que te adornen la garganta con una corbata de cáñamo... ¡Húndete de una vez y vete al diablo!

Dio media vuelta y se dispuso a partir. Se volvió y aún agregó, más suavemente:

—Y una cosa, Martin. No tengas esperanza en que te saquen del atolladero tus amigos, porque mientras yo sea sheriff en Alamo Negro, la ley se ha de cumplir.

—Bien, viejo amigo —respondió Buck—. No me guardes rencor. Comprendes que si he callado ante el tribunal, ante el jurado, no voy a echar a perder todo esto porque tú te empeñes. Tú lo dices bien, la ley es la ley. ¿Qué más le da a tu ley que sea yo o sea Arnold al que cuelguen? No, Nick, te dije al empezar mi narración que si hacías caso de lo que te contara no te serviría de nada, porque todo lo negaría. Además... no olvides que me prometiste callar y que lo que te contara no saldría de ti.

Nuevamente Nick se acercó a los barrotes de la celda. Pasó su mano por entre ellos y la apoyó sobre el hombro de su interlocutor.

—¡Buen muchacho! —exclamó O'Neill, oprimiéndole suavemente el hombro. Luego siguió—: Desde pequeño te conozco. A tu padre lo traté siempre. Juntos recorrimos estas dilatadas llanuras a lomos de caballos medio salvajes. Más tarde, cuando yo ya era el sheriff de Alamo Negro, él venía muy a menudo a charlar conmigo. Si vieras cómo me hablaba de ti... ¡Bah!... No quiero enternecerme con recuerdos propios de sensibles mujeres... Pero la verdad es, Martin, que cuando yo censuraba tus calaveradas, él te defendía con todo calor... Y ¡qué razón tenía! Decía que tu corazón era grande como pocos... ¡Grande como pocos!... Sin embargo, en todo el calor que ponía en tu defensa, se quedaba corto. Yo puedo decirlo hoy. Ofreces tu vida con gran tranquilidad y sin palabrería por salvar a tu hermano... ¡Gran muchacho! —repitió—. Ya ves, yo, precisamente yo, he de llevarte a la muerte... Y si tus amigos intentan sacarte de aquí, yo, también yo, he de evitarlo e incluso darte un tiro antes que permitir que te vayas... ¡Maldita sea!... Pero no hay duda alguna, he dicho que la ley es la ley y, ¡por cien mil coyotes!, que ésta ha de cumplirse.

Nick O'Neill se apartó de la puerta de la celda. Caminó por el pasillo y salió hasta su despacho. Una vez allí quedó algo indeciso. Recogió la botella de whisky que anteriormente usara. Volvió hacia la celda en donde se hallaba el condenado. En una mano llevaba la botella y en la otra un gran vaso de cristal.

—¿Quieres beber? Creo que te animará cuando... cuando llegue la hora.

—Bien, Nick. Beberé un trago porque todo salga bien.

—¿Por... qué?

—¡Por... todo!

El sheriff llenó el vaso hasta los bordes. Dejó la botella a un lado de la puerta, sobre el suelo. Saçó una llave del bolsillo y la metió en la cerradura, abriéndola.

—Voy a darte este whisky. No a través de los barrotes, sino por la puerta... Y ya ves, Martin, que con eso demuestro la confianza que tengo contigo... Claro es —siguió— que si se tratara de otra persona no lo haría. Aún recuerdo lo que hizo Zeeman cuando fuiste a buscarlo para darle muerte. Te tiró el whisky a la cara, ¿verdad?... Sé, seguro, que si en vez de ser tú el que estás aquí fuera..., por ejemplo, Larreta, aprovecharía el momento de yo entregarle el vaso para tirarme el líquido al rostro... Me cegaría por un momento, pocos, pero los suficientes para darme un puñetazo en la mandíbula y tirarme al suelo sin sentido... Sobre todo —siguió tras detenerse un poco— si él supiera que su caballo está en la cuadra de la cárcel... como tú sabes que el tuyo está en ese lugar. ¡Está tan cerca la divisoria para poder internarse en México!

Nick O'Neill, el sheriff de Alamo Negro, calló y entró en la celda. Tendió el vaso a su interlocutor.

—Toma, bebe; porque tengas suerte.

—¿Por... que tenga suerte?

—Sí, por... que llegue tu indulto antes de la hora.

Martin recogió el vaso con su mano derecha. Se lo llevó a los labios, pero antes de mojarlos en el líquido hizo un movimiento rápido y lo lanzó a la cara del desprevenido sheriff.

—¡Maldito seas! —exclamó Nick, al tiempo que se llevaba la mano a la cara—. ¡Te juro que...!

No pudo seguir. Un magnífico derechazo de Buck, atizado a su mandíbula, dio con éste en tierra.

—Lo siento, viejo; y gracias por... tu indicación.

Salió de la celda. La volvió a cerrar tras él y fue hasta el despacho del sheriff. Abrió una ventana que daba a un corral trasero, en donde estaba la cuadra de la cárcel.

Saltó al patio. Entró en donde estaban las caballerías y se dirigió a «Saeta», que relinchó alegremente al verle.

Unos minutos después, en la serena tranquilidad de la noche, se pudo oír el golpear de los cascos de un caballo, que en un galope desenfrenado se alejaba de Alamo Negro en dirección a la frontera de México.

A su sonido, Nick O'Neill se sentó sobre el suelo de la celda en donde lo había dejado Martin. Se acarició la barbilla suavemente y una sonrisa iluminó su cara.

—¡Diablo de chico! —dijo—. ¡Ya podía haber atizado un poco más flojo!

Luego se volvió a echar sobre las maderas del suelo, y a «sotto voce» exclamó entre dientes:

—Ahora a esperar que me descubran. ¡Y por todos los diablos! ¡Que dejo de ser el sheriff de Alamo Negro si no consigo que el gobernador del estado indulte al mejor hombre del mundo!

Desde la lejanía aún llegaba cada vez más apagado el redoblar de los cascos de «Saeta» sobre los duros guijarros del camino.

F I N